EIGRA: HOGAN FACH O'R BLAENA

EIGRA:
HOGAN FACH O'R BLAENA

EIGRA LEWIS ROBERTS

bwthyn
GWASG Y BWTHYN

© Hawlfraint: Eigra Lewis Roberts
Gwasg y Bwthyn
2021

ISBN: 978-1-913996-11-6

Cyhoeddwyd gyda chymorth ariannol Cyngor Llyfrau Cymru

Dyluniad y clawr: Siôn Ilar

Cyhoeddwyd ac argraffwyd gan:
Gwasg y Bwthyn, Caernarfon
gwasgybwthyn@btconnect.com

DIOLCH

Diolch i Geraint Lloyd Owen am ddangos diddordeb
o'r dechrau ac i Wasg y Bwthyn, yn arbennig Marred,
am eu cydweithrediad.

1

Mae 'na rai pobol sy'n gallu cofio'n ôl i gyfnod cynnar iawn, neu o leia'n honni eu bod nhw'n cofio. Efallai mai fy niffyg i sy'n gyfrifol am yr elfen o amheuaeth. Un o'r cwestiynau y bydda i'n ceisio osgoi ei ateb ydi, 'Wyt i'n cofio?' Mae'r dewis rhwng cyfaddef 'na' neu fy ngorfodi fy hun i gymryd arnaf a hynny'n gwbwl groes i'r graen. Rhwyd bysgota o gof, yn llawn tyllau, sydd gen i, a honno'n gadael i'r pysgod yn ogystal â'r dŵr lifo drwyddi.

Cyn i rywun holi pam mae rhywun fel fi'n mentro ysgrifennu hunangofiant, o bob dim, efallai y dylwn i geisio achub fy ngham drwy ychwanegu fod y cyfan yn dibynnu ar faint y tyllau a maint y pysgod.

Dyna un rheswm pam y bu i mi wrthod pob cais i lunio hunangofiant. Ond mae yna reswm arall, a hwnnw'n deillio o gerdd fach sydd wedi glynu wrtha i dros y blynyddoedd:

> Mae gennyf ystafell
> nas cenfydd y byd,
> ac ynddi y cloaf
> a garaf i gyd.
>
> Ychydig a wybu
> y ffordd iddi hi,
> a methaf ddyfalu
> sut y gwyddost ti.

Fe gollais yr allwedd,
maddeued y tro;
nid oes ar y ddaear
a egyr y clo.

Ar fy mhen blwydd yn un ar hugain oed, ysgrifennodd fy nghariad ar y pryd gwpled ychwanegol i'r gerdd honno ar ei gerdyn o, yn cynnwys y llinell, 'Mae'r allwedd gen i.' O, nag oedd, mwy na gan neb arall. Er fy mod i'n credu y dylai awdur unrhyw hunangofiant fod mor onest ag sy'n bosibl, rydw i'n dal i fynnu mai fi'n unig biau'r hawl i agor clo'r ystafell honno. Mae'n bosibl mai swildod o fath sydd i gyfri am hynny; ofn be fyddai'r canlyniad i mi ac eraill pe bawn i'n datgelu gormod. Sawl un ohonom fyddai'n barod i wneud hynny, tybed? Nid ceisio dweud yr ydw i fod awduron hunangofiannau'n anonest. Mi wn i am ambell un fu'n ddigon dewr i ddadlennu cyfran helaeth o'r gwir. Cyn belled, a ddim pellach.

Mi wn i hefyd am rai eraill sydd wedi cadw cofnodion manwl gyda'r bwriad o gyhoeddi eu hanes yn y dyfodol. Peth doeth, os nad braidd yn hunandybus, i'w wneud. Ond onid cyfrwng myfïol a hunandybus ydi hunangofiant, o ran hynny? Rydw i'n falch o allu dweud fy mod i wedi bod yn rhy brysur yn byw i feddwl am y fath beth. Efallai y byddai'r paratoi wedi bod o ddefnydd erbyn heddiw ond mae'n well gen i gael y rhyddid i grwydro wysg fy nhrwyn. Dydw i erioed wedi bod yn un dda am ddilyn cyfarwyddiadau. Mi rof fy ffydd, nid yng nghraig yr oesoedd, ond yn y cof rhwyd bysgota, gan obeithio dal y pethau sy'n cyfri a cheisio bod mor ddidwyll ag y bo modd.

Rydw i'n credu 'mod i'n barod i fentro erbyn hyn. Felly, yn ôl â ni i Flaenau Ffestiniog gan mai yn y dref unigryw honno y dechreuodd y cyfan:

> Rhoed i mi ar ddydd fy ngeni
> wely llwyd mewn crud o lechi;
> niwl yn gewyn am fy llwynau
> a llwch yn bowdwr yn fy ffroenau.
>
> Bwriais wreiddyn bach i garreg
> yn ddi-feind, wrth fynd ar redeg;
> i b'le bynnag yr awn wedyn
> rhaid oedd mynd â'r graig i 'nghanlyn.

2

Rhyw silidón o atgof ail-law ydi'r un cyntaf i gael ei ddal yn
y rhwyd. Wn i ddim faint oedd f'oed i ar y pryd, ond ro'n i'n
ddigon hen i allu defnyddio 'nhafod i dynnu sylw Mam at y
'tân mawr'. Fi oedd yn gyfrifol am y tân hwnnw gan mai fy
nghôt orau i oedd wedi cynnau'r fflamau. Be ddaeth drosta
i, mewn difri, i wneud peth mor anghyfrifol? Byddai Freud
yn haeru nad oedd ond gweithred fyrbwyll, gwbwl
anymwybodol, yr *id* hwnnw sy'n diwallu anghenion a
dyheadau'r plentyn. Meddai W.H. Auden yn ei gerdd goffa
iddo:

> '… all he did was to remember
> like the old and be honest like children …
> so many long-forgotten objects
> revealed by his undiscouraged shining
> are returned to us and made precious again;
> games we had thought we must drop as we grew up,
> little noises we dared not laugh at,
> faces we made when no one was looking.'

Efallai fod peth gwir yn hynny ac y gallwn i, pe'n dymuno,
fy nghlywed fy hun yn chwerthin mewn boddhad wrth
wylio'r fflamau. Ond fyddwn i byth wedi dewis bod yn
destun arbrawf i Freud na'r un o'i ddisgyblion, yn arbennig
ei gofiannydd, Ernest Jones, y deuthum i'w adnabod, a'i
ofni, wrth ysgrifennu'r nofel *Fel yr Haul*.

Tri darlun yn unig sy'n aros o'r pum mlynedd a dreuliais yn Ysgol Maenofferen, neu, o roi iddi ei henw swyddogol, *The Slate Quarries School for Girls* – darluniau llonydd, du a gwyn. Does ryfedd fy mod i'r fath ffan o gyfresi *Malory Towers* a *St Clare's*, Enid Blyton, er bod merched bonheddig yr ysgolion preswyl yn hŷn ac o ddosbarth gwahanol iawn i ni, genod y Blaena. Roedd wal ddiadlam na ellid gweld drosti na thrwyddi rhwng ysgol y merched ac ysgol y bechgyn. Hyd y gwn i, ni fu i'r didoli hwnnw effeithio arna i mewn unrhyw ffordd, ond dyna bwnc arall a fyddai wrth fodd Freud.

Rydw i ar fy mhen fy hun wrth ddesg yn Standard Three a phensel garreg yn fy llaw, yn ceisio gwneud symiau ar lechen. Mae'n rhaid mai cosb oedd hyn am ryw ddrwg gan fod dagrau'n disgyn ar y llechen ac yn rhedeg yn ffrydiau ar hyd-ddi fel na allaf weld y rhifau hyd yn oed.

Mae criw bach ohonom yn eistedd ar silff ffenest Standard Four. Ni allaf weld wyneb neb, yn cynnwys f'un i, ond mi wn fy mod i yno, yn dal hosan Nadolig yn llawn papurau wedi'u rholio'n belenni. Mae Miss Evans, y brifathrawes, yn rhannu anrhegion oddi ar y goeden i'r ddwy orau ym mhob dosbarth – yr un rhai yn fy nosbarth i yn ystod y pum mlynedd – ac yn dweud pa mor falch ydi hi ohonyn nhw. Mae'r gwynt yn brathu i 'nghefn a finna'n cael y teimlad mai yma'n y drafftiau y bydda i am byth yn dal pethau diystyr a dibwrpas fel hosan Nadolig yn llawn papurau.

Er bod yr wynebau'r un mor niwlog yn y darlun nesaf,

mae'r cof o'r diwrnod pan osodwyd ni, genod Standard Five, i sefyll yn rhes yn erbyn wal gefn y dosbarth mor fyw ag erioed. Roedd canlyniadau'r *Scholarship* wedi cyrraedd a ninnau wedi cael ein gosod yn nhrefn teilyngod. Un yn unig oedd wedi methu ac roedd hi wedi cael ei rhoi i sefyll ar wahân a bwlch rhyngddi a'r gweddill. Ro'n i eisiau rhedeg ati a'i thynnu i mewn i'r rhes ond roedd llygaid Miss Evans arna i, fel dau bigyn dur. Dydw i ddim yn credu i'r dagrau ar y llechen na'r pelenni papur adael gormod o'u hôl arna i, ond mae'r darlun o'r rhaniad creulon hwnnw gan rai a ddylai wybod yn well yn dal i 'nghorddi hyd heddiw.

Ystafell Standard Five oedd yr unig un â thân er nad oeddan ni fawr gwell ar hynny gan fod Miss Roberts yn mynnu sefyll rhyngon ni a fo, a'i chefn yn erbyn y giard. Dyma'r darlun a welais â llygad y cof yn 2009, a'i gynnwys yn y gyfrol *Hi a Fi*, er y byddai'n well gen i ei anghofio:

Mae'r poteli llefrith yn cael eu rhoi y tu mewn i'r giard bob bora gan fod llefrith oer yn achosi poen stumog. Mi fydda'n well gen i ddiodda hynny na gorfod yfad hwn sy'n waeth hyd yn oed na'r castor oil a'r syrup o' figs sydd, meddan nhw, yn leinio'r stumog ac yn cadw'r bwals yn gorad.

Maen nhw i gyd yn yfad eu llefrith, ac yn gneud ceg twll tin iâr wrth ei sipian drwy welltyn, pawb ond Eleanor Parry, sy'n chwythu swigod drwy'i hun hi.

Weithia, mi fydda i'n dychmygu fod rhywun wedi symud y giard heb i Miss Roberts sylwi a hitha'n syrthio wysg ei phen-ôl mawr i'r grât; ogla deifio yn llenwi'r stafall a mwg yn dŵad allan o'i chlustia hi.

Efallai i mi gael addysg sylfaenol y tair R yn yr ysgol honno – wedi'r cyfan, roedd cystadlu ffyrnig rhwng y ddwy ysgol, yn arbennig adeg brwydr y *Scholarship* – ond does gen i'm rhithyn o gariad tuag ati, ac mae'n gas gen i lefrith.

3

Dyna'r unig atgofion sy'n aros, a'r rheini'n anffodus yn rhai chwerw a digalon er fy mod i, gan amlaf, yn hogan fach hapus. Lle di-hwyl a di-fflach oedd Ysgol Maenofferen i mi ac ni fedrais erioed deimlo'n gartrefol yno. Ond roedd fy myd bach i yn Llenfa, 24 Park Square yn un clyd a chynnes. Fel hyn y ceisiais i gyfleu'r teimlad hwnnw o sicrwydd a diogelwch yn un o'r ysgrifau a enillodd y Fedal Ryddiaith yn Eisteddfod Genedlaethol y Drenewydd, 1965:

Nid oedd ond chwe charreg las rhwng y giât a'r drws ac un stepan las i'r stryd. Giât bren oedd ffin fy libart i a honno'n bachu i bostyn carreg. Byddai'n rhaid ei bolltio cyn mynd bellter ffordd rhag ofn i ddafad ei phwnio a gweld ei gwyn ar yr ardd. Clwt o ardd oedd hi, yn brolio fawr mwy na'r blodau rheini sy'n hawdd eu plesio'n eu tir. Nid oedd na dyfnder na gafael i'r pridd ond roedd hi yn ardd ac ogla da ar ei gwair.

Roedd y byd hwnnw fel petai wedi'i olchi efo golau. Weithiau, byddai'n cawodi dros y cerrig glas ac yn llifo o dan y giât i'r stryd; weithiau'n lapio am gangau'r goedan afalau gyferbyn ac yn nythu'n y dail. Golau ffeind oedd o, fyddai'n clymu popeth at ei gilydd ac yn dangos y lliwiau'n gliriach.

Ambell fora, byddai'n bosibl dilyn y lliwiau o'n stryd ni i'r stryd fawr. Ond un lwydaidd oedd y tamaid ffordd am Maenofferen.

Dim un goeden na chlwt o ardd, dim ond rhesi o dai, ysgol, a chapel Methodistaidd digon bygythiol yr olwg.

Roedd festri'r capel hwnnw fel ail gartref i mi. Efallai nad oedd 'na fawr o chwerthin yno chwaith gan fod cysgod y capel dros bopeth a'i barchusrwydd yn ein sadio. Ro'n i'n treulio oriau'n y festri'n ystod yr wythnos. *Flannelgraph* Miss Owen oedd ein teledu ni, a stori'r Samariad Trugarog oedd y ffefryn. Wrth iddi adrodd y stori, byddai Miss Owen yn glynu darluniau ar y wlanen. Roedd cymaint o ddefnydd wedi bod arnyn nhw fel bod y gŵr druan yn cael sawl cwymp heblaw'r un ymysg lladron. Mae'n debyg y byddai hynny'n creu difyrrwch i blant heddiw, ond roeddan ni, blant bach Iesu Grist, cyn sobred â saint. Peth cwbwl naturiol oedd derbyn y drefn.

Mam a Dad oedd yn pennu'r drefn a finna'n eu dilyn mor ufudd â chi wrth dennyn. Mae gen i achos diolch i mi gael fy magu mewn cyfnod pan oedd parchu rhieni a bod eisiau eu plesio'n beth greddfol, i'w fwynhau'n hytrach na'i oddef. Ro'n i wrth fy modd yn y Gobeithlu – Band o' Hôp i ni – yn baglu fy ffordd drwy ddarn heb ei atalnodi ac un o'r pynciau 'codi papur o het', er bod y *modulator* yn ddirgelwch llwyr imi. Yn y festri hefyd y byddai'r parti Nadolig yn cael ei gynnal a ninnau'n chwarae rhoi cynffon ar fochyn neu ful rhwng ysbeidiau o ganu carolau a sglaffio jeli – a brechdanau ar yn ail er mwyn leinio'r stumog.

Er bod gen i sawl disgrifiad o festri Maenofferen yn y gyfrol *Hi a Fi*, y 'fi' arall, Helen, sy'n gyfrifol am ambell un ohonyn nhw. Pwy, mewn difri, ydi Mr Edwards y gweinidog sy'n mynd yn fwy bob dydd ac yn siŵr o fyrstio os na wnaiff ymprydio, *fel na fydd dim ar ôl ond ei golar*? A beth am Llinos Wyn a'i llais brân, Edwin Babi Mam, David John y cariad bach a'r Miss Evans hawdd ei tharfu? Y cyfan wn i ydi mai dyna'r agosaf i mi ddod at lunio hunangofiant. Ffin denau iawn sydd rhwng ffaith a dychymyg ar y gorau ac mi wnes i'n fawr o hynny. A sut y gall neb ddweud i sicrwydd mai fel'na y digwyddodd pethau? Ond dydw i ddim yn barod i dderbyn sylw Nesta, yr 'hi' plagus, mai'r un peth ydi dychymyg a chelwydd. Tybed oedd yna'r fath rai ag Ann, y ffrind anwadal, a'i brawd barus Porci Pugh, Megan Lloyd na-all-neud-dim-drwg ac Eleanor Parry na-all-neud-dim-byd-ond-drwg, yn bod? Mae hynny'n ddigon posibl.

Mi wnes i'n siŵr fod Dad a Mam yn haeddu eu lle yno, mwy neu lai fel roeddan nhw. Merch ffarm y Garreg Fawr, y Waunfawr, Arfon oedd Mam, a Dad yn hannu o'r Bontddu, ei daid Bermo yn gapten llong a llun ohono'n hongian ar fur un o gytiau'r cei. Ond adroddwyr oedd Gwaenferch a Glanmawddach yn anad dim, wedi cyfarfod wrth gystadlu'n erbyn ei gilydd mewn eisteddfodau ar yr hyn oedd yn cael ei alw'n Her Adroddiad, sy'n swnio'n fwy urddasol na 'llefaru' heddiw. Mae'r gwobrau enillon nhw'n dal gen i, yn gwpanau a medalau, cloc carreg a choron. Roedd y ddau, wrth gwrs, yn awyddus i mi eu dilyn i lwyfannau yn ogystal â'r capel ond mi sylweddolais yn fuan iawn na ddown i byth i'w sgidiau nhw, yn arbennig rhai Mam. Adroddwr dramatig oedd Dad, er na fyddai'n crwydro'r llwyfan ac yn chwifio'i freichiau fel rhai o'r hen adroddwyr, ond mae amryw wedi dweud wrtha i fel y byddai Mam yn hoelio sylw'r gynulleidfa o'r eiliad y camai i'r llwyfan ac yn ei gadw hyd at y munud olaf, heb symud na llaw na throed.

Mae gen i ryw gof o Dad yn cychwyn i'w deithiau ar hyd a lled Cymru efo Parti Prysor. Fo oedd yr arweinydd ac roedd ganddo stôr o storïau digri ar bob pwnc o dan haul. Dyna ddawn na fu i mi ei hetifeddu'n anffodus gan na alla i gofio'r un jôc. Byddai Mam ac yntau'n trefnu nosweithiau llawen ar gyfer y Gymdeithas, cystadlaethau llunio ewyllys, llinellau coll, brawddeg o air a chodi papur o het. Yr aelwyd a'r capel oedd eu byd nhw, a fi, fel ro'n i, oedd canolbwynt y byd hwnnw.

Mi ges fy magu, nid ar hwiangerddi ond ar ddeiet o 'Penyd', 'Cadair Tregaron' a 'Mab y Bwthyn', Mam yn adrodd hanes Seth, Daniel Owen, yn mynd i *gapel mawr Iesu Grist* a Dad yn *'rhoi'r meddwon ar werth'*. Iddyn nhw yr ydw i'n ddyledus am y wefr sydd i'w chael o wirioni ar eiriau a'r cof llyfr sy'n fwy o fagned nag o rwyd bysgota. Doedd gen i na brawd na chwaer na thaid, dim ond un nain, mam fy nhad, a llond dwrn o berthnasau. Ni'n deulu o dri a'r teuluoedd eraill hefyd, gydag un eithriad, mewn sefyllfa debyg. Er nad ydi'r unig blentyn o angenrheidrwydd yn blentyn unig, mwy nag o'n i, does 'na fawr i'w ddweud o blaid bod yn wrthrych gormod o sylw a maldod heb neb i rannu na methiant na llwyddiant. Do'n i ddim yn brin o ffrindiau ond mi ddysgais yn gynnar sut i greu fy nifyrrwch fy hun. Roedd hwnnw i'w gael yn llyfrau Enid Blyton, Tegla, Winnie Parry a Fanny

Edwards ac yn y *Beano* a'r *Dandy* y byddwn yn eu derbyn yn wythnosol am flynyddoedd. Does gen i ddim cof o'r digwyddiad, ond roedd Mam yn dweud i mi unwaith alw'n swyddfa'r heddlu i riportio Pyrs Williams y siop am wrthod gwerthu comic i mi a finna'n gwybod fod ganddo fo rai o dan y cownter. 'Paid ti â phoeni, 'mach i,' meddai'r Sarjant, 'mi rown ni halan yn 'i uwd o.'

Ro'n i'n barddoni hefyd, yn cael gweledigaethau liw nos ac yn galw o'r gwely am bapur a phensel. Mae'n rhaid fod gen i feddwl o'r cerddi cocos gan i mi eu hysgrifennu'n daclus mewn copi bwc, a hwnnw'n un clawr caled! Fe fyddai wedi hen ddiflannu oni bai i Mam ei gadw'n ofalus. Efallai mai hi oedd â meddwl ohonyn nhw wedi'r cyfan. Yr unig un yr ydw i'n ei gofio ydi pennill olaf y gerdd i'r ffair fyddai'n ymweld yn flynyddol â'r llain tir dros yr afon i'n tŷ ni:

> Pan â y ffair i ffwrdd o'r dre
> bydd y mamau'n diolch a diolch i'r ne.
> Ni fydd mwy o swnian ar y plant yn awr;
> bydd y ffair ymhell cyn toriad y wawr.

Talcen slip o bennill a'i 'diolch i'r ne' yn tystio'n gryf i ddylanwad capel Maenofferen.

Mi ges i sbel o fod eisiau troi pob twll a chornel yn dŷ bach. Corneli cyfyng ar y naw oedd rhai cwt glo Llenfa a'r bocs sgidiau o stafell yng ngweithdy Dad, a'r ddau yr un mor llychlyd. Unwaith y byddwn wedi gosod fy nhipyn geriach yma ac acw, byddai'r tai bach du a llwyd wedi ateb eu pwrpas a'r ysfa wedi pylu'n llwyr. Yn y creu, ac yn y chwalu er mwyn cael yr ias o ail-greu, yr oedd y mwynhad. Doedd 'na mo'r un wefr i'w chael o godi cytiau ar y cyd, nac o rannu tenantiaeth, er bod gwell blas ar datws drwy'u crwyn mewn cwt, gwellt ar lawr i godi cluniau a'i arogl ar wres yn pigo'r ffroenau. Erbyn meddwl, mae'n rhaid ein bod ni, blant y pedwardegau, yn sobor o ddiniwed. Ond er ein bod ni'n ddi-glem ym mhethau'r byd, roeddan ni *yn* gallu chwarae. Amser i chwarae oedd o, cyn i gyfrifoldeb godi'i ben. Mae bod yn blentyn, o unrhyw oed, yn gymorth i allu dotio a gweld rhyfeddodau. Mi fydda i'n ysu weithiau am gael dweud wrth hen bobol o blant sy'n tin-droi ac yn cicio'u sodlau ar gonglau strydoedd am iddyn nhw beidio bod ar ormod o frys i dyfu i fyny, ac yn eu pitïo am fod mor barod i roi heibio'r chwarae a cholli'r profiad digyffelyb hwnnw o fod yn denant cwt bach.

Yn wahanol i'r mwyafrif o genod, doedd gen i ddim diddordeb mewn dolïau, yn arbennig y Meinir wallt melyn, lygatlas, gwbwl ddigymeriad. Mam druenus o'n i er imi, am gyfnod byr, ddod yn eitha hoff o'r ddoli du. Rydw i'n credu mai Dad, oedd yn gyfarwydd â *Caban F'ewythr Twm*, Harriet Beecher Stowe, a'i bedyddiodd hi'n Topsi er cof am y gaethferch nad oedd ganddi na Duw na mam – '*I s'pect I growed. Don't think nobody never made me.*' Ond bu farw fy Nhopsi i o dwll yn ei phen wedi i rywun – fi, mae'n siŵr – fwrw'r pen du'n erbyn y wal un diwrnod. Be fyddai dy ddadansoddiad di o'r weithred honno, Sigmund Freud?

Roedd llawer mwy o apêl yn y lluniau a fyddai'n

ymddangos o dro i dro ar dudalennau'r cylchgronau *School Friend a Girl's Crystal* o ferched tua f'oed i, a phwt o wybodaeth am bob un. Mi fyddwn yn eu torri allan ac yn eu cadw mewn hen dun baco. Roedd gen i ddigon i ffurfio dosbarth. Fi oedd yr athrawes, fi fyddai'n dewis aelodau'r tîm hoci, yn gosod tasgau, yn gwobrwyo a chosbi. A'r cyfan yn dibynnu ar f'adwaith i wynebau mewn lluniau. Roedd y didol, greda i, yn gwbwl annheg, ac annheilwng, hefyd, o un a ddylai fod wedi sylweddoli, wrth iddi deimlo'r drafftiau'n gwanu drwyddi a bod yn dyst i'r rhaniad ciaidd hwnnw, peth mor afiach a dinistriol oedd ffafriaeth.

Onid yr un hogan fach fympwyol a luniodd bennill am yr athrawes oedd yn mynnu sefyll â'i chefn at y tân gan ddwyn y gwres i gyd? Na, ddim yn hollol, er mai dyna yr hoffwn i fod wedi'i wneud:

> Hen ditsiar hunanol o'r Blaena —
> aeth i sefyll mor agos i'r fflama
> nes llosgi'i phen-ôl,
> ddaw hi byth yn ei hôl
> a fydd 'na ddim mwy o broblema.

Gan na welwn i unrhyw bwrpas mewn ymlafnio i geisio gweithio allan faint o amser a gymerai trên i deithio o A i B ar hyn a hyn o filltiroedd yr awr pan oedd hi gymaint haws holi'n y stesion, byddai hynny wedi bod yn rhyddhad mawr ar y pryd.

Fi, hefyd, dorrodd ffenestr Miss Rowlands drws nesa wrth

ymarfer chwarae tennis a gadael i ryw hogyn, pwy bynnag oedd o, wthio'i dafod i 'ngheg wrth chwarae Postman's Knock mewn parti yng nghwt y W.I. Er bod y tafod hwnnw'n gynnas ac yn feddal ac yn blasu o jeli coch ac eisin, ni fyddai'r un hogan barchus wedi meiddio gwneud y fath beth. Ond nid fi ddwedodd wrth Ann, 'Mi gei di a dy fam fynd i uffarn.' Roedd gen i ormod o ofn y tân mawr i fentro dweud hynny.

Ro'n i o leia'n trio 'ngora glas i fod yn dda ac yn dweud fy mhadar bob nos, ar ôl swatio'n y gwely. Er na fyddwn i byth yn gwneud addunedau blwyddyn newydd, mi ges i Helen i ddweud gair drosta i:

Mi ddechreua i efo'r Deg Gorchymyn, gan fod hynny'n mynd i gael gwarad o'r pechodau mawr i gyd. Fedrwn i'm lladd pry, hyd yn oed, a fyddwn i byth yn rhoi 'mhump ar eiddo neb arall. Fydda i ddim yn rhegi, a wn i ddim be ydi godinebu, heb sôn am ei neud o. Wedi i mi roi'r cwbwl i lawr, a tic ar gyfar bob un, mae fy llaw i wedi cyffio a does 'na ddim ond digon o le ar y dudalan i sgwennu – 'Cyfri 'mendithion' a 'Peidio ypsetio Miss Evans'.

A dyna'r pen bach wedi dal ar ei chyfla i gael y gair olaf cyn ffarwelio â'r Slate Quarries School for Girls, lle na allai neb obeithio llwyddo'n y byd heb Saesneg a symiau.

4

Fe fyddwn i wedi bod yn ddigon hapus i aros yn hogan fach cyn hired ag oedd modd, a fi'n bendant sy'n mynegi'r gofid o orfod tyfu i fyny yn *Hi a Fi*:

Dydw i ddim isio bod yn ddynas, a gwisgo bc mae Mam yn ei alw'n gorset, un hyll pinc efo syspendars yn hongian ohono fo. Y peth cynta mae hi'n ei neud ar ôl cyrradd adra o'r capal ydi tynnu hwnnw a gollwng ei bol a'i gwynt allan.

Yn lle gorfod meddwl am hynny, rydw i'n sgwennu pennill yn fy mhen, ac mae o'n un reit dda, er ma' fi sy'n deud:

> Mi geith Ann neud fel y myn,
> bod yn ddynas a gwisgo staes tyn
> nes ei bod hi'n methu
> anadlu na phlygu,
> ond rydw i am aros fel hyn.

Ddigwyddodd hynny ddim, wrth gwrs, er imi lwyddo i osgoi'r anghenfil pinc.

Does gen i fawr o gof o'r diwrnod cyntaf yn Ysgol Sir Ffestiniog (Y Cownti i ni) er bod y 'fi' arall wedi mynnu cynnwys disgrifiad ohono:

Mae'r drws yn agor ac un o'r titsiars y mae'n gas ganddyn nhw blant yn ôl Barbra a Beti yn camu allan ac yn gweiddi,

'New girls follow me.'

Rydan ni'n mynd i'w dilyn ar hyd coridor hir, y clogyn du mae hi'n ei wisgo dros ei dillad yn fflapian fel adenydd ac yn gneud i mi feddwl am y llun welas i'n The Children's Guide to Knowledge o'r ystlumod bach hyll sy'n byw mewn llefydd tywyll ac yn byta pryfad cop a llygod.

Mae'n rhaid fy mod i'n ifanc iawn o'm hoed o 'nghymharu â merched ysgol heddiw. Yn sobor o groendenau hefyd, ac yn methu dal y dagrau'n ôl. Ond ni fu i mi erioed strancio rhag mynd i'r ysgol na gwrthod gwisgo'r nicers nefi blw a'r cap erchyll hwnnw ar siâp soser hedfan, ac roedd y gabardîn fel ail groen imi – honno, hefyd, yn nefi blw, ond ei bod wedi dechrau rhydu o'i gorddefnyddio.

Fu gen i fawr ddim i'w ddweud wrth yr ysgol fawr mwy na'r un fach a rhai cymysg iawn ydi'r atgofion sy'n aros yn y rhwyd.

Y cysur o gael desg wrth y ffenestr am y tro cyntaf yn Form 4A (doedd yna'r un Form 1 am ryw reswm) wedi dioddef dwy flynedd o gric yn fy ngwar wrth syllu drwy baenau uchel ar gribau mynyddoedd a thomennydd llechi ac awyr lwyd. Ychydig o wyrddni sydd gan y Blaena i'w gynnig ond roedd y rhan fwyaf ohono i'w weld drwy'r ffenestr honno, i lawr am Gwmbowydd. Mae'n rhaid fy mod i wedi gwneud fy siâr o synfyfyrio'n ystod y flwyddyn ac mae'r gwersi wedi mynd yn angof llwyr.

Y rhyddhad o gael gwared ar y goregni yn ystod pob amser

chwarae ac awr ginio drwy waldio pêl hoci. Pan oedd cwpwrdd y ffyn hoci ar glo, byddai Nia a Beti Wyn Traws a minnau'n defnyddio unrhyw ddarn o bren y gallem ddod o hyd iddo, heb hidio dim am y cleisiau ar goesau. Ond poen oedd gorfod dychwelyd i'r dosbarth yn domen o chwys i gael y bwrdd du dwbwl yn orlawn o nodiadau daearyddol Dafydd Orwig, a methu'n lân â gwerthfawrogi'r pwnc oedd mor agos at ei galon o.

Y wefr o glywed Raymond Garlick, yr athro Saesneg, yn dyfynnu cerdd Dylan Thomas i'w dad:

> Do not go gentle into that good night,
> Old age should burn and rave at close of day;
> Rage, rage against the dying of the light.

Sain a mydr y geiriau oedd yn fy nenu i. Ro'n i'n rhy anaeddfed i allu gwerthfawrogi'r hyn oedd gan y bardd rhyfedd a rhyfeddol hwnnw i'w ddweud. Raymond Garlick oedd yr unig athro i ddangos unrhyw ddiddordeb yn fy ysfa sgwennu i. Fel yn Ysgol Maenofferen, ches i 'run mymryn o gefnogaeth, er i mi ennill y wobr am draethawd Cymraeg dair blynedd yn olynol a nifer o wobrau yn eisteddfodau'r Urdd. Ond be 'di'r ots am hynny? Lle i ddiolch sydd gen i, o ddifri, gan fod y diffyg cefnogaeth wedi rhoi rhyddid i mi adleisio'r Ol' Blue Eyes:

> I've loved, I've laughed and cried,
> I've had my fill, my share of losing
> And now, as tears subside, I find it all so amusing.
> To think I did all that

And may I say, not in a shy way,
Oh, no, oh, no, not me, I did it my way.

Mi ges inna, fel Dafydd Iwan, syrffed o 'lesyns Inglish' ym mhob pwnc ac ro'n i dan yr argraff na allai'r mwyafrif o'r athrawon siarad iaith Maenofferen. Ond roedd Miss Annie Roberts, a gafodd y llysenw Annie Fish am ryw reswm, yno, fel pysgodyn allan o ddŵr. Cymry brwd oedd hi a'i chwaer a'r ddwy'n aelodau o Blaid Cymru. Yn y darlun niwlog sydd gen i ohoni, mae hi wastad yn gwisgo broitsh mawr fel olwyn trol o dan ei gên. Byddai'n ffafrio'r hogiau a nhw oedd piau'r wên fach ddireidus a ddeuai i'r fei bob hyn a hyn. Ond mae'n siŵr gen i iddi wneud drwg mawr, yn gwbwl anfwriadol, i'r rhai nad oeddan nhw'n hoff o ddarllen ar y gorau. Âi drwy bob tudalen yn fanwl, fesul gair, fel nad oedd gobaith gorffen unrhyw lyfr. Ond â 'nghywreinrwydd yn drên, byddwn i'n tuthio ymlaen yn slei bach ac yn cyrraedd pen y daith cyn iddi hi adael yr orsaf.

Saesnes go iawn oedd Miss Cleeves, Cookery. Yn wahanol i'r athrawon eraill, roedd hi mewn gwyn i gyd, ar wahân i'r gwallt melyn oedd wedi'i glymu'n ôl rhag ofn i flewyn fynd i'r bwyd. Fe fuon ni wrthi o fis Hydref ymlaen yn paratoi cacennau at y Nadolig. Erbyn hynny, ro'n i wedi cael llond bol ar weld fy nghacan i ac yn teimlo fel ei thaflu drwy'r ffenast. Er imi geisio ei chuddio ag eisin llwyd-budur doedd hi'n edrych fawr gwell, na finna damad callach ar ôl tymor cyfan o'r hyn oedd yn cael ei alw'n goginio.

Byddai Twm John, Miss Thomas-Jones, yr athrawes

Ffrangeg, yn ein cyfarch ar ddechrau pob gwers â'i 'Bonjour, mes enfants', ei dant aur yn fflachio'n y golau pŵl. Ninnau'n ateb yn ein Cymraeg gorau, 'Bonjŵr Madamoisel'. Efallai y byddwn i'n rhugl yn yr iaith honno heddiw oni bai imi orfod dewis rhwng Cymraeg a Ffrangeg ar gyfer Lefel O. Dyna be oedd gorfodaeth annheg a chwbwl afresymol.

Ro'n i'n ei chael yn anodd cydymffurfio ond tila sobor oedd fy ymdrechion diniwed i fod yn rebel. Sylw un o'r athrawesau ar fy ymddygiad mewn adroddiad oedd, 'Not at all satisfactory. Too talkative in class'. Efallai fod peth gwir yn hynny, ond fe all geiriau wneud cymaint, os nad mwy, o niwed na ffyn a cherrig. A dweud y gwir, yr holl wir a dim ond y gwir, ro'n i'n ofni'r athrawon ac yn arswydo rhag y prifathro. Roedd hwnnw, fel Duw, yn llond pob lle, presennol ym mhob man, a minnau'n credu'n siŵr ei fod, o'i swyddfa, yn gallu gweld i mewn i bob ystafell ddosbarth drwy dyllau cudd yn y muriau.

Bu'n rhaid imi aros yn y chweched dosbarth am dair blynedd hir gan fy mod i'n rhy ifanc i gael fy ngollwng yn rhydd. Mi rois i'r gorau i astudio Hanes ar ôl blwyddyn o ymlafnio â dyddiadau, a cheisio canolbwyntio ar gyfuniad o iaith y nefoedd, yr iaith estron na allai neb lwyddo'n y byd hebddi, ac Ysgrythur, iaith y capel a'r Arholiad Sirol. Mae'n debyg y dylwn fod wedi gwneud gwell defnydd o'r tair blynedd ond llaesu dwylo wnes i. Ro'n i wedi cael hen ddigon ar y lle ac yn fwy na pharod i'w adael. Byddai pethau wedi bod yn llawer gwaeth pe bawn i wedi sylweddoli fod hynny'n golygu gadael adra ... a'r Blaena.

5

Roeddan ni, blant mawr Iesu Grist, cyn sobred ag erioed mewn ysgol Sul a Gobeithlu ac yn arbennig yn y cyfarfodydd paratoi ar gyfer cael ein derbyn yn gyflawn aelodau o'r capel, er na wydden ni be oedd hynny'n ei olygu. Ond doedd yr Arholiad Sirol blynyddol yn poeni dim arna i. Mae arna i ofn fod fy mhortread i, yn rhith Helen Owen, o un o'r nosweithiau hynny'n profi gymaint o ben bach o'n i:

Am chwech o'r gloch, mae Mr Edwards, sy'n ofni y byddwn ni i gyd yn methu ac ynta'n cael y bai am beidio gneud ei waith, yn rhoi'r amlen fawr lle mae'r cwestiyna'n cael eu cadw i Mam, Arolygydd yr Ysgol Sul, ac yn deud,

'Croeswch eich bysadd, Mrs Owen.'

Fe ddyla fod ganddo fo fwy o ffydd ynon ni ac ynta'n Weinidog yr Efengyl.

Mae Mam, sy'n gwbod 'mod i ddigon abal i atab unrhyw gwestiwn, beth bynnag fydd o, yn gwenu'n glên arna i.

Prin ein bod ni wedi cael cyfla i ddarllan y cwestiyna nad ydi mam Edwin yn cerddad i mewn i'r festri, yn cario clamp o botal ffisig.

'Ceg fawr rŵan, cariad,' medda hi.

Dyna'r ddau yn agor eu cega ac yn llyncu efo'i gilydd. Cyn iddi fynd yn ei hôl am y lobi, rydw i'n ei chlywad hi'n sibrwd, 'Locustiaid a mêl gwyllt'. Mi fydd Edwin wedi cael un atab yn iawn, o leia.

Rydw i wedi enwi'r disgyblion i gyd, er ma' chwech oedd ei angan, ond dim ond Iago ac Ioan ecsetera sydd gan Llinos Wyn ar ei phapur hi.

Pan ddaw'r canlyniada, a finna'n derbyn fy ngwobr, mi fydd y Parchedig wedi anghofio'i ofn ac yn hawlio'r clod i gyd.

Y tu allan i festri Maenofferen y byddai Medwen, Glenys Barbara Tudor Jones a Kitty Lloyd a finna'n aros y bỳs i fynd â ni ar drip ysgol Sul i'r Rhyl neu Landudno. Roedd Llandudno yn lle dipyn mwy parchus na'r Rhyl, Gehenna'r Gogledd yn ôl Miss Evans, pwy bynnag oedd honno. Ond waeth pa un fyddai dewis y pwyllgor, gwario arian prin ar geriach a llenwi'n boliau â sothach fydden ni'n pedair tra bod y mamau druan yn aberthu'r pnawn i baratoi te mewn festri fenthyg. Mae pob trip bellach wedi ymdoddi'n un, fel pob Arholiad Sirol a pharti Nadolig.

Oddi yno, hefyd, y bydden ni'n cychwyn i'r Gymanfa, fi mewn costiwm, het siâp powlan, menig bach les a sgidia newydd oedd yn pinsio 'modia i. Gorymdeithio drwy'r stryd fawr i gyfeiliant y band, ni'r plant yn chwifio baneri bach oedd yn treulio gweddill y flwyddyn mewn cypyrddau llychlyd a'r dynion yn gwegian dan bwysau baneri mawr y gwahanol ysgolion Sul. Finna'n ddigon digywilydd i ddilyn y cantorion i'r galeri yng nghapal Bowydd fin nos a gorfod sefyll ar flaenau fy nhraed wrth geisio cyrraedd y nodau uchaf. A methu hyd yn oed wedyn.

Gorymdaith wahanol iawn oedd un y carnifal. Dim ond unwaith yn unig y bu i mi ymuno â honno ac fel hyn, mwy neu lai, y digwyddodd pethau:

Gwrthod bod yn ddyn ddaru Ann a gwrthod rhoi locsyn 'nes inna gan fod trio cael yr esgid chwaral fawr i aros ar fy mhen a cherddad mewn hetia, heb sôn am orfod gwisgo trowsus Porci Puw, yn fwy na digon i orfod ei ddiodda.

Un o'r rhai cynta welson ni oedd Eleanor wedi gwisgo fel sipsi, ei hwynab yn strempia brown a'r gweddill ohoni'n wyn budur.

'A be ydach chi i fod?' medda hi.

'Cwpwl o wlad pob peth o chwith.'

'Lle ma' fan'no?'

'Ar draws y Môr Trilliw a dros y Bryniau Brith,' medda Ann, nad oedd hi rioed wedi clywad am y lle nes i mi ddeud wrthi.

'Dydach chi'm yn edrych hannar call. Fydd pawb yn chwerthin am 'ych penna chi.'

'Dyna maen nhw fod i' neud,' medda fi. '"Funniest couple" ydan ni, 'te.'

Dim ond yr ail wobr a swllt yr un gawson ni'n dâl am yr holl draffarth a'r diodda. A'r beirniad, oedd yr un mor dwp ag Eleanor, yn gofyn,

'And where have you two come from?'

'Blaena,' medda Ann a 'gwlad pob peth o chwith,' medda fi.

A Mrs Wyn-Rowlands, oedd yno i gyflwyno'r gwobra, yn egluro,

'That means topsy-turvy land, Judge.'

Do'n i ddim yn un i swnian am hyn a'r llall. Be oedd diban gofyn 'Ga i?' a minnau'n gwybod nad oedd pres yn tyfu ar goed. Ond roedd yna un peth yr o'n i'n ei ddeisyfu'n fwy na dim. Byddwn yn fy nychmygu fy hun yn cerdded o gwmpas y dre a mwnci bach mewn jyrsi llongwr ar fy ysgwydd. Ond pan fentrais roi tafod i'r 'Ga i' doedd neb yn fy nghymryd o ddifri a phawb yn cytuno mai pethau dinistriol, chweinllyd a mileinig oedd mwncïod. Bu'n rhaid i mi fodloni ar gath, annibynnol a dibersonoliaeth, a thwpsyn o fwji na allodd ddysgu dweud ei enw hyd yn oed, un fyddai'n mynnu clwydo yng ngwallt Mam, er mawr ofid iddi, bob tro y câi ei ollwng yn rhydd o'i gawell. Tawodd y swnian ond rois i mo'r gorau i ddilyn taith ddychmygol y mwnci bach a minnau drwy strydoedd y Blaena am sbel go hir.

6

Byddai Mam a Dad a fi'n troi ein cefnau ar y llwydni rywdro'n ystod yr haf i gael cip ar borfa lasach. Fel ŵyr i Captain Lewis, Master Mariner a dŵr heli'n ei waed, dewis Dad oedd y diwrnod ym Morfa Bychan. Roedd yn well gan Mam gael tir solad o dan ei thraed. A finna, o ran hynny, ond doedd fiw i un a Capten Lewis yn hen daid iddi gyfaddef fod arni ofn y môr. Mae'r dyddiau ar y traeth, hefyd, wedi'u cywasgu'n un diwrnod erbyn hyn.

Sŵn crensian wrth i ni gnoi'r sand-wijis past, y lemonêd cynnas a'r te o fflasg yn help i lyncu'r gronynna tywod. Dad yn gneud ei ora i 'nysgu i i nofio, ac yn methu. Mam yn trio perswadio Dad i wisgo gan nad oedd o'n gweddu i flaenor fod yn sefyll yno'n hannar noeth heblaw am y tryncs nofio oedd wedi crebachu wrth ei olchi. Fo a fi'n adeiladu castall tywod a Mam yn fforman ar y ddau labrwr. Yr amsar yn chwipio mynd a Dad, fydda wedi dewis bod yn hogyn am byth, fel Peter Pan, yn gorfod rhedag fel milgi i ddal y bỳs oedd yn mynd â ni'n ôl i Borthmadog. Mam wrth ei bodd ei fod o wedi cael diwrnod i'w gofio ac ynta'n pitïo nad oedd ganddon ni faner Ddraig Goch i'w rhoi ar dŵr y castall er mwyn i ni, fel Cymry, allu ei hawlio fo. A finna'n pitïo na allwn i fod wedi dysgu nofio er mwyn i Dad fod yn falch ohona i a gallu brolio fod gen inna ddŵr heli yn fy ngwaed.

Ychydig iawn ydw i'n ei gofio o'r wythnos rynabowt ar y trên i weld rhyfeddodau fel eglwys farmor Bodelwyddan, cofgolofn Daniel Owen yn yr Wyddgrug a'r tŷ lleia'n y byd yng Nghonwy, ac mae'r lluniau aeth i fol y Brownie bach wedi hen ddiflannu. Ond mae'r ail ymweliad â Lerpwl yn eitha clir yn fy meddwl i, er nad oedd gan y ddinas honno borfa frasach i'w chynnig.

Roedd gan Dad ddau frawd a dwy chwaer. Ar ddamwain, wrth olrhain hanes y teulu, y ces i wybod am y chwaer fach a fu farw'n blentyn, gan nad oedd neb erioed wedi sôn gair amdani. Anaml iawn y byddai fy rhieni i'n edrych yn ôl ac ro'n innau'n rhy fodlon ar fy myd fel roedd o i fod eisiau holi am y doe. Daeth Kate, y chwaer arall, a John ei gŵr, i'r Blaena i gymryd gofal o Nain, oedd yn prysur golli'i golwg. Yn y gegin gefn yr oeddan nhw'n byw a hithau fel brenhinas ar ei chadair gefn uchal yn yr ystafell orau. Aeth John, y brawd hynaf, nad ydi o ond enw i mi, i Efrog Newydd, agor busnes yno, a marw'n y ddinas honno, a Bob ac Annie ei wraig i Lerpwl i fod yn ofalwyr capel Anfield. Yncl Bob oedd yn gofalu, o ran hynny, ac Annie'n dweud wrtho fo be i'w neud.

Er eu bod nhw'n frodyr, doedd Bob a Dad ddim byd tebyg; Dad yn edrych yr un mor urddasol mewn dillad gwaith a Sul a byth yn cario gofidiau i'w ganlyn, a Bob, fel tasa fo angen boliad iawn o fwyd a dos o haul ac awyr iach, yn gwyro o dan feichiau'r byd.

Dydw i'n cofio fawr am yr arhosiad cyntaf yn Anfield ond yr ali goblog rhwng waliau uchel a'r arogl oedd yn llenwi'r iard rhwng y tŷ a'r tŷ bach, arogl rhyw declyn oedd gan yr hen wraig i leddfu'r asthma. Anti Annie oedd wedi trefnu i ni aros yno, dros y ffordd i'r capel. Gan na fedrai beth-bynnag-oedd-ei-henw-hi yr un gair o Gymraeg a bod ei Sgows hi fel Dybl Dytsh i ninnau, roeddan ni wedi torri wn i ddim faint o reolau heb fod ddim callach be oeddan nhw. Er i Mam dyngu 'Byth eto', yn ôl yno yr aethon ni. Ond y tro yma, yn ôl Helen, sydd weithiau'n mynnu siarad ar fy rhan i:

Mae hi wedi rhoi'r rheola ar bapur ac yn estyn copi i ni fel rydan ni'n camu i mewn. Mae Mam yn bygwth gadal y munud 'ma, a Dad yn deud nad ydi o'n malio dim am Mrs P ond bod gofyn bod yn ofalus iawn rhag sathru ar fodia Annie, a'r rheini mor dendar.

'A be am fy modia i?' medda Mam.
'Mi fyddi di'n iawn ond i ti beidio gwisgo dy sgidia gora.'

Ond dydi hi ddim yn iawn, o bell ffordd, er ei bod hi'n cytuno i aros a thrio gneud y gora o'r gwaetha.

Fe fydden ni'n gadael y tŷ gynted ag oedd modd ac yn cael ein sgytio ar dram swnllyd, anghyfforddus i lawr am Pier Head. Croesi ar y *ferry cross the Mersey* wedyn am New Brighton, Mam yn cwyno ei bod hi'n diodda o salwch môr a Dad yn ei herian drwy ddweud mai dim ond afon oedd hon. Ond y darlun sy'n aros yn fy ngho ydi'r un o Anti Annie a'r corgi'n eistedd ar fainc yn y parc ac Anti Annie'n dweud, 'Ti *sing* efo Mam, Benjy.' Ar ôl iddo syllu arni am rai eiliadau a'i ben ar un ochr fel petai ganddo fo bigyn yn ei glust, byddai'r ddau'n dechrau udo a nadu efo'i gilydd. Fe alla i hawlio'r darlun hwn, o leia:

'Mae'r ci 'na mewn poen,' medda Mam mewn llais uchal.
A dyna Anti Annie'n rhoi gora i ganu, yn cuchio arni, ac yn deud,

'Of course not, Jenny! I take it that you've never heard a dog singing before.'

'Dyna ydach chi'n ei alw fo?'

Mi fedrwn i weld Dad yn taflu golwg rybuddiol ar Mam. Dydi Anti Annie ddim yn un i dynnu'n eich pen, yn enwedig pan fydd hi'n troi i'r Saesnag. Mi 'nes i ati i ganmol Benjy a'i alw'n 'clever boy' gan mai Sais ydi o, wedi'i eni a'i fagu yn Lerpwl.

Welson ni ddim mwy o'r parc. Roedd Benjy wedi blino gormod, rhwng y cerddad a'r canu, i fynd gam ymhellach.

Am fod Anti Annie'n credu mai'r ffordd i galon ci oedd drwy ei stumog, roedd coesau'r creadur bach wedi gwisgo'n ddim a'i fol yn rhugno'r llawr. Dim rhyfadd i Mam fynnu'r noson honno y dylai Annie gael ei riportio i'r RSPCA am wneud iddo ddiodda. Finna'n mentro tynnu gwg un oedd yn credu y dylid parchu gweinidogion yr efengyl drwy ddweud fod Benjy'n fy atgoffa i o Mr Edwards Gweinidog. 'Does 'na ddim golwg o'i golar ynta chwaith,' medda Dad, a'r tri ohonon ni'n rowlio chwerthin, yno'n yr ystafell fenthyg yn Anfield efo'i un ffenast oedd yn edrych allan ar stryd gefn goblog, tai bach a biniau lludw.

Wedi i mi gallio ryw gymaint, mi ges ganiatâd i gefnu ar y Blaena'n ystod yr ha' heb Mam a Dad. Mae'n siŵr fod gen i gryn feddwl ohonof fy hun unwaith y byddwn i'n gadael ar y bỳs. Newid yn Port am fỳs Whiteways a disgyn wrth eglwys Betws Garmon lle roedd camfa haearn a llwybr yn cychwyn efo wal y fynwent. Yno yr oedd y taid a'r nain na wyddwn i fawr amdanyn nhw. Ond rydw i yn cofio Mam yn dweud fod Nain yn giamstar ar sillafu geiriau Saesneg a llunio brawddegau un llythyren fel 'Brifo bydd blaenau bysedd bechgyn bach bob bore bydd barrug.' Roedd ganddi hefyd gof diarhebol a gallai ddysgu pennod gyfan ar gyfer yr ysgol Sul. Dawn gerddorol oedd gan Taid a bu'n godwr canu yng nghapel bach Drws y Coed cyn symud i'r Waun.

Wedi oedi i ddweud 'helô' wrth y ddau, cychwyn dringo'r caeau serth a'r cês bach yn pwyso'n drymach erbyn i mi gyrraedd Garreg Fawr. Roedd hwnnw'n ymddangos yn glamp o dŷ i mi er mai dim ond tri oedd yn byw yno – Tom, brawd Mam, 'bardd gwlad a rhigymwr bro' fel Wncwl Dafydd, Gwenallt; fy Anti Annie arall, fyddai'n picio yma ac acw fel gwenynen fach, a Gwenlli fy nghyfneither oedd yn diflannu i'w gwaith yng Nghaernarfon yn ystod y dydd ac i'r mynydd efo'i chariad fin nos. Ond roedd Spot, y ci defaid, gystal â bod yn un o'r teulu, ei gefn fel bwrdd a'i geg yn ddiddannedd am fod plant drwg yn mynnu taflu cerrig iddo'u dal.

Y gwyrddni ydw i'n ei gofio. Nid yr un â'r blewiach oedd yn tyfu dan geseiliau creigiau'r Blaena ond gwyrddni y gallech chi blymio iddo fo a nofio drwyddo fo. A'r haf yn haf go iawn, yn orlawn o haul a mwyar duon a chnau.

Molchi o dan y pistyll bob bora, chwarae tŷ bach yn y tŵr yr oedd Yncl Tom wedi'i fedyddio yn Castell y Mwgwd Du, cogio helpu i gario gwair a throi'r corddwr. Cael rhyddid i grwydro wysg fy nhrwyn o gae i gae, i fyny'r Foel, ac i'r pentra i brynu da-da efo'r cwpons fydda Mam yn eu pinio wrth ei llythyr. A galw'n y tŷ a siambar ar fin y ffordd i weld yr Anti Nel a allai fod wedi gwneud ei marc fel cantores oni bai iddi, rywdro'n y gorffennol, fynd i ganlyn criw drwg a chicio'n erbyn y tresi Piwritanaidd. Nel oedd y ddafad ddu a achosodd ofid mawr i'r teulu yn ôl Mam, ond hi, ar waetha hynny, neu o'i herwydd, oedd fy ffefryn i.

Dyma sut y ceisiais i ddarlunio'r galw-heibio'n-slei-bach mewn sgwrs radio flynyddoedd yn ddiweddarach:

Do'n i ddim dan siars i beidio galw yno, ond ni fyddai anogaeth chwaith. O wybod hynny, heb ei ddeall, ro'n i'n ymwybodol o ryw euogrwydd wrth imi agor y drws. Ond unwaith y byddwn i'n camu i mewn, roedd y wên a chynhesrwydd y croeso'n ddigon i ddileu hwnnw. Yno, yn ei chornel wrth y tân, nid oedd gorffennol iddi, dim ond presennol, digon di-liw. Heddiw, o bellter, yr ydw i'n gallu gweld y fflach o'r hen aflonyddwch yn ei llygaid ac yn diolch fod gen i fachyn i hongian fy ngwendidau arno fo. Fedrwn i ddim dygymod â chael llond wardrob o ddillad dydd Sul. Gwneud defnydd ohoni yr ydw i, mae'n debyg. Ond onid defnyddio'n gilydd yr ydan ni i gyd?

Garreg Fawr oedd un o'r mannau y dewisais i fynd yn ôl iddyn nhw'n y rhaglen deledu *Tri Lle*, a difaru wedyn. Ond siom a dadrithiad ydi pob mynd yn ôl wedi bod o ran hynny, yn taflu'i gysgod dros y cofio ac yn fy ngadael yn oer. Mae'n llawer brafiach picio'n ôl fel hyn am chydig a chael fod pob dim fel roeddan nhw. Dim ond syllu o bellter diogel a pheidio cyffwrdd, rhag ofn.

7

Er bod darnau ohonof ar wasgar hyd gaeau Garreg Fawr, Blaena sydd piau'r talpiau mwyaf. Yn ôl yno yr es i yn y nofelau *Mis o Fehefin* a *Ha' Bach*. Cafodd y gyfres deledu ei ffilmio ym mhentref Trefor ond i'r Blaena y mae Gwen Elis, Hannah Mary, Magi Goch a Dic Pŵal, a'r gweddill – cymeriadau dychmygol i gyd – yn perthyn, a Sul y Blaena a'n stryd ni ydi hwn:

Sul diog oedd Sul Minafon ers blynyddoedd bellach a'i bobol yn cymryd gorchymyn y seithfed dydd yn or-lythrennol. Yn ôl yn y pumdegau, eithriad fyddai i chi gael rhywun yn Minafon am ddeg y bore a chwech yr hwyr. Pe baech chi'n sefyll ar gornel siop Pyrs ar nos Suliau fe gaech eu gweld nhw'n llifo i lawr tro Minafon amdanoch chi, fel afon.

Yna, byddai'r llif yn rhannu'n ffrydiau bach a'r rheini'n ymdroelli am Galfaria, y capel Wesla a'r Eglwys. Digwyddai'r cyfan, o hen arfer, yn dawel a diffwdan ac ni welwyd neb erioed yn sathru traed nac yn taro'n erbyn ei gilydd. Roedd hi'n olygfa nad anghofiech chi mohoni ar chwarae bach. Y gyfrinach, wrth gwrs, oedd eu bod nhw'n gwybod eu lle ac yn ei gadw. Doedden nhw i gyd ddim yn angylion; ddim o bell ffordd. Roedd 'na sawl silidón yn y llif, a mwy nag un siarc bach. Ond fedrach chi ddim peidio bod wenwyn ohonyn nhw.

Efallai y bydden nhw trannoeth yn tynnu ei gilydd yn griau ond ar y nos Suliau rheini roedd pobol Minafon fel un. Fe all nad oedd o'n ddim ond hunanfoddhad o fod wedi gwneud eu dyletswydd am wythnos arall ond roedd o'n rhoi andros o boen bol i chi, beth bynnag oedd o.

Mi fûm innau'n ddigon bodlon bod yn un ohonyn nhw a chael fy nghario efo'r llif dros dro, ond penyd i un aflonydd fel fi oedd gorfod eistedd ar sêt galed, anghyfforddus y capel am awr a rhagor. Pethau oeraidd, di-ffrwt oedd geiriau yno er bod rhai ohonyn nhw, drwy ryw ryfedd wyrth, wedi gwreiddio'n fy nghof. Mae arna i ofn i mi lunio sawl esgus i gadw draw, ond ro'n i'n ystyried gwarchod Nain ambell nos Sul fel fy nhro da am yr wythnos. Ei phoen fawr hi oedd y byddai i'r tân ddiffodd cyn y deuai Kate a John o'r capel. Finna'n ei fwydo a'i brocio, rhwng ysbeidiau o ddarllen adnodau, er mwyn iddi allu gweld y fflamau. Bob nos Sul yn ddieithriad fe fydden ni'n canu 'Yr eneth ga'dd ei gwrthod', a Nain yn mynnu fod drws y tŷ wedi'i gloi er mai dim ond wedi'i gau yr oedd o yn ôl Dad. Dyna oedd o eisiau ei gredu.

Dim ond picio i weld Nain y byddwn i ar adegau eraill. Er i mi ysgrifennu pennill bach yn cyfeirio ati fel yr anwylaf o hen bobol, rhyw ddweud-er-mwyn-plesio oedd hynny. Mae'n rhaid i mi gyfaddef mai perthynas bell ac anghyffwrdd oedd rhwng yr hen wraig ddall a'i hwyres fach ddiddeall. Ro'n i'n llawer hapusach yng nghegin gefn Picton Teras nag yn yr ystafell honno lle roedd hi'n nos drwy'r amser. Mi alla i eu gweld nhw rŵan, John yn ei gwman yn y gornel a'i lygaid ynghau, a Kate (Lal, i mi, gan ei bod hi'n 'lwlian' ac yn 'lalian' uwch fy mhen i'n fabi, mae'n debyg) yn sefyll ar ganol y llawr yn cnoi ei hewinedd a golwg bell yn ei llygaid. Rydw i'n cofio meddwl nad oedd ar y ddau eisiau bod yno, o ddifri. Doedd gen i'm syniad ble oedd rhywle arall Kate gan y byddai hi ar goll yn lân petai'n mentro ymhellach na'r capel neu Woolworths, ond mi wyddwn yn iawn i ble byddai Yncl John yn mynd. Â'i draed yn dal ynghlwm wrth bridd cyfoethog a thir glas Maldwyn, dyn dŵad i'r Blaena fyddai John Edwards am byth; dyn a fu'n llusgo'i gorff i'r chwarel am flynyddoedd heb erioed allu mynd â'i feddwl a'i galon i'w ganlyn.

Yn ei cholofn yn *Y Cymro*, tynnodd Dyddgu Owen sylw at draethawd arbennig gan ŵr o'r enw John Edwards ar fywyd amaethyddol Sir Drefaldwyn. Ia, fy Yncl John i oedd hwnnw. Dau lwybr dihangfa oedd ganddo; y llyfrgell a'i glwt gardd. Roedd ystafell ddarllen y llyfrgell wedi'i gwahardd i ni'r plant. Fy siomi ges i pan fentrais sleifio i mewn unwaith, heibio i'r arwydd mawr, TAWELWCH/SILENCE, ar y drws. Y cwbwl oedd i'w weld yno, ar wahân i hen ddynion a'u trwynau mewn papurau newydd, oedd llwynog wedi'i stwffio mewn cas gwydr a hwnnw'n hen beth milain yr olwg, dim byd tebyg i Siôn Blewyn Coch, *Llyfr Mawr y Plant*. Ond allan yn yr ardd o flaen y tŷ, wrth wylio Yncl John yn cyffwrdd â phetalau'r rhosyn mynydd, yr un lliw â gwisg sidan Mali yn nofel Elena Puw Morgan, roedd hyd yn oed hogan fach dwp fel fi'n sylweddoli pam ei fod mor gyndyn o edrych allan drwy'r ffenestr ar domennydd a chreigiau. Mi wyddwn, hefyd, y fath boen i un fel fo oedd ceisio cael pridd cyndyn y Blaena i ildio blodau.

Mae'n anodd credu, a minnau'n cael y fath ddos o grefydd ar y Sul a min nosau, fy mod i ar un cyfnod yn dewis treulio nosweithiau Sadwrn mewn cyfarfodydd dirwest yn festri Jerusalem i gydadrodd yr ymrwymiad dirwestol a chanu 'Dŵr, dŵr, dŵr i bob sychedig un' gydag arddeliad, ond yn gwbwl anystyriol.

Eitem Mati oedd uchafbwynt y cyfarfod. Pan ddeuai ei thro hi i ymddangos, byddai'r golau mawr yn cael ei ddiffodd. Y Mati honno ydi fy Maggie Richards i yn *Hi a Fi*:

Mae Maggie Richards wedi'i gwisgo fel dyn, hen gôt racs wedi'i chlymu am ei chanol efo cortyn, cap stabal, sgidia hoelion mawr, ac yn bwysicach na'r cwbwl, locsyn hir, du. Mae hi'n cario ffon bugail a lantarn efo cannwyll wedi'i goleuo ynddi, ac yn canu wrth glertian i fyny i'r llwyfan am y cant namyn un o ddefaid sy'n saff yn y gorlan a'r un aeth i grwydro 'draw, draw i'r mynyddoedd a'r anial maith'.

Lle mae hi wedi mynd tro yma, tybad? Dacw hi, yn y gornal lle mae'r llyfra ysgol Sul yn cael eu cadw. Ond creigia ydyn nhw heno, a'r bugail da, wrth fustachu drostyn nhw, yn colli'i throed ac yn hofran uwchben y dibyn. Ond, diolch byth, mae hi wedi llwyddo i ddringo'n ei hôl. Tasan ni yn rhwla heblaw festri capal, mi fydda pawb yn curo dwylo a gweiddi 'Hwre' wrth ei gweld hi'n codi'r ddafad ar ei sgwydda a'i chorff hi'n plygu o dan y straen. Rydan ni'n llawenhau efo Maggie Richards a holl deulu'r nef wrth iddi ei chario i'r gorlan, lle dyla hi fod wedi aros.

Ffrwyth dychymyg ydi gweddill stori'r cyfarfod dirwest er bod tameidiau bach o'r gwir yn llechu yma ac acw.

Ambell nos Sadwrn byddai'r tri ohonom yn dilyn y llwybr o Gwmbowydd i'r Manod, sybyrbia'r Blaena, ac yn galw i weld Anti Lisi a'i mam. 'Lisi 'nghneithar' fyddai Dad yn ei galw hi ond does gen i mo'r syniad lleia sut yr oeddan nhw'n perthyn, petai ots am hynny.

Yno, yn 110 Manod Road y clywais i am Jini fach, y chwaer iau, a'r bachgen hwnnw a fu farw'n blentyn, ac fel y bu i Lisi a Jini fynd law yn llaw i'r caeau i gasglu blodau i'w rhoi ar arch eu brawd bach. Hyn i gyd heb na deigryn nac ochenaid, dim ond plethiad o hiraeth a'r argyhoeddiad mai felly roedd pethau i fod. Er ei bod yn drwm ei chlyw ac yn wan ei golwg ni fyddai Anti Lisi byth yn methu cyfri'i bendithion. Fe wynebodd y drafftiau a'r gwyntoedd croesion i gyd a dal ati i duthio ymlaen, ei chorff bach eiddil yn brwydro'n erbyn y tywydd garw.

Er fy mod i'n fy ystyried fy hun yn hogan dda'n gneud-be-ddylwn-i byddai'r be-liciwn-i-neud yn drech na fi ar adegau. Ond roedd Anti Lisi'n llwyddo i fyw'n dda drwy'r amser, byth yn meddwl drwg o neb ac yn gweddïo dros bawb heb ofyn dim iddi ei hun. Roedd yr ychydig a gâi yn dod 'oddi uchod', fel y pâr sgidiau a laniodd ar ei stepan drws un diwrnod. Chwerthin wnaeth Helen wrth feddwl am

Dduw yn eu gollwng nhw o'r awyr. Chwerthin wnes innau, a mynd gam ymhellach drwy sgwennu:

> Maen nhw'n deud fod y Blaena'n lle hynod
> am law, ond nid cŵn a chathod
> na hen wragadd a ffyn
> mae hi'n 'i fwrw fan hyn –
> dim ond sgidia ail-law oddi uchod.

Wnes i deimlo'n euog o wneud hynny'n destun sbort, tybad? Go brin. Ond rydw i'n siŵr y byddai Anti Lisi wedi ymuno'n y chwerthin heb fod fymryn dicach. Fy mraint i oedd cael adnabod un o'r ychydig prin oedd yn byw ei chrefydd.

Yn y parlwr bach yr oedd ei mam, Nain Manod, yn byw. Mae'n siŵr ei bod hi a nain Picton Teras yn gallu cerdded, gan eu bod nhw'n gorfod mynd i'r tŷ bach ac i'w gwlâu fel pawb arall, ond welais i erioed mohonyn nhw ar eu sefyll. Nain, mam Dad, yn ei hunfan yn nhywyllwch ei hystafell hi a'r nain nad oedd hi'n nain go iawn, ond gystal â bod, yn ei pharlwr bach hithau, tebot a chist de wrth ei thraed a'r tecell yn ffrwtian ar y tân, yn barod ar gyfer ymwelwyr. O fewn cyrraedd iddi ar y silff ben tân roedd dwy res o luniau teulu a chydnabod. Os oedd hi'n cael gwybod ymlaen llaw fod un ohonyn nhw'n bwriadu galw, byddai'n symud llun hwnnw neu honno i'r rhes flaen ac yn rhoi sglein ar y gwydr efo'i ffedog. Pan alwodd rhywun yn ddirybudd un diwrnod, meddai hi a gwên ddireidus ar ei hwyneb, 'Dyma chi wedi dŵad a finna heb olchi'ch wynab chi.'

Mi hoffwn i feddwl fy mod i'n well person o gael nabod Anti Lisi. Os nad ydw i, fy nghywilydd i ydi o. Ac mi hoffwn feddwl, hefyd, fy mod ar fy mantais o fod wedi nabod Anti Nel, yn fwy goddefgar ac yn barotach i geisio deall pam nag o'n i'n y dyddiau pan oedd popeth mor wyn ac mor ddu, cyn imi allu amgyffred y gwirionedd yn soned Parry-Williams:

Na alw monom, Grist, yn ddrwg a da,
Saint a phaganiaid, ffyddiog a di-ffydd,
Yn dduwiol ac annuwiol, caeth a rhydd,
Yn gyfiawn ac anghyfiawn. – Trugarha,
Canys nid oes un gaeaf nad yw'n ha',
Na chysgod nos nad yw'n oleuni dydd,
Nac un dedwyddwch chwaith nad ydyw'n brudd,
Ac nid oes unrhyw le nad yw'n Na.
Yn hytrach, Arglwydd, cenfydd yma rai,
Ymysg trueiniaid daear, sydd â'u trem
Yn treiddio beunydd trwy barwydydd clai
I wylio'r sêr o hyd ar Fethlehem;
Yn gweld y golau nad yw byth ar goll
Yng nghors y byd, – a'r lleill yn ddeillion oll.

8

Roedd dau bictiwrs yn y Blaena, y Forum a'r Parc. Dim ond hogiau a'r hyn fyddai rhywun fel Miss Evans wedi'u galw'n wehilion cymdeithas oedd yn mynd i'r Parc. Doedd o mo'r lle i ferched, yn enwedig y rhai parchus na fydden nhw byth yn colli'r ysgol Sul a'r Band o' Hôp. Ond do'n i ddim am adael i hynny fy rhwystro ac i'r Parc â fi am y tro cyntaf, a'r tro olaf. Rhwng sŵn cenllysg yn waldio'r to sinc, yr hogiau'n bloeddio nerth eu pennau wrth gymryd arnyn' fod yn gowbois ac yn dobio'u traed ar y llawr coed bob tro y byddai'r ffilm yn torri, fedrwn i glywed yr un gair. Ond, a dweud y gwir, gallai matinî'r Forum fod yn dipyn o boen hefyd efo'r holl wichian a sgrechian, gan fod merched bach parchus yn rhai hawdd iawn eu dychryn.

Bu'n rhaid i mi aros sbel cyn cael mynd i'r pictiwrs nos, a hynny i'r *first house*. Eiddo'r cariadon oedd yr ail dŷ ac mi fyddai'n well gen i fod wedi diodda'r Parc na gorfod edrych a gwrando ar y rheini'n llempian ei gilydd yn y seti dwbwl. Yr unig ffilm yr ydw i'n ei chofio ydi'r un lle roedd Doris Day yn canu '*By the light of the silvery moon / I like to spoon*'. Ro'n i'n credu fod y gair *spoon* yn un comon ac wrth ganu'r gân o gwmpas y tŷ mi fyddwn yn cymryd arna fy mod i wedi anghofio'r geiriau ac yn rhoi 'la la' yn ei le.

Roedd pob dydd Sadwrn yn llawn posibiliadau. Mewn

mynwentydd y treuliais i sawl un ohonyn nhw, yn helpu Dad i 'osod cerrig'. Roedd ganddo'i weithdy ei hun dros yr afon i'n tŷ ni a hwnnw'n lle cyfareddol i mi. Fe gaiff Helen siarad drosta i, am y tro, gan ei bod hithau'n llygad-dyst i'r newid gwyrthiol fyddai'n digwydd yno:

Ar y dechra, doedd 'na ddim yng ngweithdy Dad ond carrag fawr, lwyd. Ond fe aeth ati i dynnu llunia dail a mesur llythrenna, a'u naddu nhw iddi efo'i gŷn a'i forthwl bach. Doedd fiw i mi symud na deud gair, gan y galla un llithriad ddifetha'r cwbwl. Wedi iddo orffan, dyna fo'n camu'n ôl, a gwên ar ei wynab. Mi wyddwn fod y gwaith wedi'i blesio, er nad ydi o'n licio dibynnu ar bobol sydd wedi marw er mwyn gallu byw.

'Dos i nôl y gold leaf,' medda fo ar ôl i bob sbecyn o lwch gael ei chwythu oddi ar y garrag. Mae hwnnw'n cael ei gadw mewn bocs carbord, ac yn debycach i dudalenna llyfr nag i ddail, ond mor dena a brau â gwe pry cop. Dydw i erioed wedi credu mewn tylwyth teg a rhyw lol felly, ond roedd gweld Dad yn dŵad â'r dail a'r llythrenna'n fyw, fesul un, efo'r brws bach a'r paent aur fel ... fel hud a lledrith.

Fy rhan i'n y 'gosod' oedd estyn yr arfau, nôl dŵr i olchi'r garrag a thaenu'r cerrig gwynion fel cwrlid dros y bedd. Finna'n frol i gyd yn pitïo'r ffrindiau nad oedd ganddyn nhw'r syniad lleia be oedd gwaith go iawn ac yn cytuno efo Dad, wrth i ni rannu'r picnic, ein bod ni'n ei haeddu gan mai dim ond *'drwy chwys dy wyneb y bwytei fara'*. Doedd yna ddim byd tebyg i de bach mewn mynwent.

Roedd stryd fawr y Blaena'n heidio o bobol ar y Sadyrnau hynny. A phan na fyddai gen i ddim byd gwell i'w wneud yno y byddwn innau, yn cerdded yn ddiamcan o Woolworths i lawr am yr Hôl. Rhyw silidóns o atgofion ydi'r rhai sydd wedi llwyddo i osgoi'r tyllau. Galw'n Paganuzzi am dda-da baw llygod, lolipop rhew yn siop Dan ac *ice and port*, pan allwn i ei fforddio, yn Taddies. Weithiau, byddai Nia a minnau'n mynd cyn belled â'r parc lle roedd crachach y clwb tennis yn cymryd arnyn' fod ar y cwrt canol yn Wimbledon a hen ddynion cecrus yn cyhuddo'i gilydd o dwyllo wrth chwarae bowls.

Wn i ddim pa un ohonon ni gafodd y syniad o gynnig mynd â babis am dro, nid er mwyn arbed rhywfaint ar y mamau blinedig yn sicir, ond yn y gobaith o allu gwneud ffortiwn fach. Ni fu erioed ddwy nani fwy anghyfrifol. Mae gen i go' o fynd ag un babi coits gadair cyn belled â Baron's Road, uwchben Cwmbowydd, ond caniatáu i'r 'fi' arall – nad oedd hi ddim byd tebyg i Nia – ddisgrifio'r diwrnod trychinebus hwnnw wnes i, o gywilydd am wn i:

Roedd angan *dwy* ohonon ni i'w godi o'r gadar. Fe eisteddon ni ar garrag, wedi ymlâdd, yn edrych ar y babi yn stwffio llond dwrn o wair i'w geg. Gan fod pobol yn deud fod peryg i chi gael peils wrth aros yn rhy hir ar garrag oer, mi es i i ista'n y goits gadar. Ond roedd Ann wedi anghofio rhoi'r brêc arni, ac i ffwrdd â fi i lawr y llechwadd fel cath i fan'no, a dros yr

47

ymyl i ganol drain. Mae'n rhaid fod Ann, oedd yn cogio cysgu, wedi 'nghlywad i'n gweiddi am help, ond y cwbwl 'nath hi, pan lwyddas i gael y goits a fi'n hun yn rhydd a dringo'n ôl, oedd agor cil un llygad a gofyn,

"Di bod yn chwilio am fwyar duon w't ti?'

Sylwodd hi ddim ar y crafiada ar y goits gadar, a doedd dim tamad o ots ganddi am fy rhai i. Roedd Bobi'n rhochian ac yn tynnu'r stumia rhyfedda.

'Mae'r babi 'na'n mygu, Ann,' medda fi, wedi dychryn am 'y mywyd.

'Gneud jobi mae o, 'te. Ych-a-fi, mi fydd raid i mi fynd â'r mochyn bach adra'r munud 'ma.'

Does gen i ddim syniad sut y bu i mi egluro'r sgriffiadau i Mam ac i fam Bobi, ond mi wn i na chawson ni fynd â'r babi hwnnw am dro byth wedyn, na'r un babi arall chwaith.

Daeth y cerdded dibwrpas i ben dros dro pan ges i amgenach ffordd o deithio. Mi ddylwn fod yn cofio'r diwrnod y gwelais i O am y tro cyntaf, ond dydw i ddim. Beic ail-law oedd o, trydydd neu bedwaredd law efallai, ffrâm haearn fawr drom a basged wellt ar y blaen, y gloch wedi rhydu nes colli'i thinc a'r brêc yr un mor aneffeithiol. Ro'n i'n dibynnu'n llwyr ar lais a thraed wrth felltennu i lawr rhiwiau'r Blaena, ond er i mi wisgo drwy sawl pâr o sgidiau roedd gen i feddwl y byd ohono.

Byddai Nia'n cael llond bol arna i weithiau ac yn mynd i

ganlyn rhywun arall – Margaret Falmai fel rheol. Ceisio bodloni ar fy nghwmni fy hun y byddwn i a chymryd arna nad o'n i'n malio. Roedd Margaret Falmai'n gallu gwneud y sblits. Un munud roedd hi ar ei thraed a'r munud nesa'n llyfu'r llawr, un goes hir ymlaen a'r llall ar yn ôl a'i chorff yn codi o'r canol fel boncyff coeden. Finna'n ofni, neu'n gobeithio, y byddai iddi, ryw ddiwrnod, hollti'n ei hanner. Ddylwn i ddim, wrth gwrs, a minnau'n gwybod fod cenfigen yn un o'r saith pechod marwol, ond sut oedd modd i hogan goesau byrion fel fi beidio bod wenwyn o un a allai glirio rhaff mewn gornest neidio heb orfod gwneud dim ond camu drosti?

Rydw i wedi bod yn gystadleuol erioed ac mi rois i gynnig ar redeg a neidio, chwarae rownders a thennis. Methiant fu'r cyfan, mae arna i ofn, er fy mod i'n gyndyn o dderbyn na wnawn i byth athletwr. Ond mae gen i lun sy'n profi imi unwaith fod yn aelod o dîm hoci'r ysgol. Wn i ddim sut y bu i'r athrawes honno gytuno i 'nghynnwys i. Yn ddigon grwgnachlyd, mae'n siŵr, gan ei bod hi'n ofni y byddai f'ymddygiad i ar y cae yr un mor anfoddhaol ag un yr hogan fach orsiaradus yn Form 2.

Ein hymweliad ni ag Ysgol Doctor Williams, Dolgellau ydi'r unig un yr ydw i'n ei gofio. Roeddan ni, genod gwydn y Blaena – Menna, y gôl-geidwad ddewraf a fu erioed, Nia fechan gyflym a'r Margaret Falmai heglog, hir ei braich – yn ddirmygus iawn o enethod a eisteddai ar gadeiriau o boptu'r cae, yn gwisgo hetiau a menyg, ac yn clapio'n sidêt pan ddigwyddai rhyw orchest neu'i gilydd.

9

Cyn gadael y Blaena, yn ddaearyddol o leia, rydw i am ddal ar y cyfle i oedi beth yn rhagor yn festri Maenofferen a Llenfa, Park Square.

Efallai y byddwn i wedi gwneud adroddreg, o fath, cyn i'r nerfau gael y gorau arna i. Mae golwg eitha ples arna i'n y llun a dynnwyd pan enillais i am adrodd yn Eisteddfod Genedlaethol yr Urdd ym Mhontarddulais. Mam oedd wedi fy nysgu i, wrth gwrs, a'i dewis hi oedd y ffrog ffrilog wen a'r rhuban mawr gwyn yn fy ngwallt. Mae'n siŵr ei bod yn gweld y llwyddiant hwnnw fel addewid o'r hyn oedd i ddod, ond ei siomi gafodd hi.

Bu'n rhaid iddi dderbyn, fodd bynnag, na wnawn i byth actores er bod gen i, fel merch y cynhyrchydd, ran ym mhob drama a lwyfannwyd yn y festri. Ac fel un oedd yn gyfrifol am beth o'r llanast, fi sydd piau'r hawl ar y perfformiad sy'n profi pam fy mod i gymaint hapusach yn creu cymeriadau ar bapur nag yn eu portreadu nhw ar lwyfan:

Er nad oedd gen i fawr i'w ddeud ond, 'Ia, Ma'am' a 'O'r gora, Syr', roedd Mam wedi fy rhybuddio i i beidio sefyll yno fel delw. Ro'n i wrthi drwy'r amsar yn hel llwch, yn symud clustoga ac yn tywallt y te lemonêd yn ôl i'r tebot at y tro nesa. Dim ond un frawddeg oedd gen i – 'Mae'r Gweinidog wedi galw i'ch gweld chi, Ma'am, Syr'– ond cyn i mi allu clirio 'ngwddw roedd Mr Edwards ar ei ffordd i mewn.

Y peth cynta 'nath o ar ôl ista oedd ei helpu ei hun i'r bisgedi, yno o ran sioe'n unig, a fedra fo ddeud 'run gair am sbel gan fod ei wynt yn fyr a'i geg yn llawn.

'Paned o de, Barchedig?' medda fi, gan nad oedd neb arall yn deud dim chwaith.

'Diolch i chi, ym, ym.'

'Cadwch at y sgript,' medda llais o ochor y llwyfan.

Fel ym mhob drama festri ar hyd a lled y Blaena, roedd i'n perfformiad ni ei siâr o droeon trwstan. Y rheolwr llwyfan yn methu agor y cyrten am ei fod yn sathru arno fo, y set yn bygwth dadfeilio bob tro y byddai rhywun yn agor y drws, lluniau'n disgyn oddi ar y waliau, actorion yn camamseru ac yn anghofio'u llinellau ac ambell un, os ydi Helen i'w chredu, wedi anghofio mai mewn festri capel yr oedd o ac nid yn y Meirion, yn ychwanegu gair o reg at y sgript. Ond er bod y gynulleidfa'n croesawu hynny a'r hogiau'n y cefn yn gweiddi a chwibanu bob tro y digwyddai rhyw anffawd neu'i gilydd, rhywbeth yn debyg i hyn oedd y sgwrs yn Llenfa:

'Roedd 'na gryn dipyn o gamgymeriada,' medda Dad, oedd yn cael traffarth i agor ei wefusa gan eu bod nhw wedi glynu'n ei gilydd.

(Gair o eglurhad – Fo oedd yn chwarae rhan y sgweiar, a gan fod y mwstásh yr oedd yn rhaid i ŵr o dras wrtho'n dod yn rhydd bob tro y byddai'n cymryd ei wynt bu'n rhaid defnyddio gliw i'w ddal yn ei le.)

'Petha bach, 'na'r cwbwl. Mi dw i'n meddwl y dylan ni anelu'n uwch tro nesa.'

'Shakespeare falla, Jen?'

'Pam lai,' medda Mam a'r olwg bell yn ei llygaid. 'Mi alwa i yn y llyfrgell ddechra'r wythnos.'

Ni fu i mi etifeddu dawn gerddorol taid Garreg Fawr ac Anti Nel, gwaetha'r modd, ond mi rois i gynnig ar chwarae'r recorder a llwyddo i feistroli'r do, re, mi heb wneud gormod o ffŵl ohonof fy hun. Mi ges i ddwy neu dair gwers biano, hefyd, ond ro'n i eisiau rhedeg cyn cropian. Aeth hynny i'r gwellt yn fuan iawn ac fe gafodd Mrs Pugh, Park Square, nad oedd gen i ond ei horgan fach hi i ymarfer arni, waredigaeth.

Mae gen i gof o griw ohonom yn ymarfer *Ynys yr Hud* ar gyfer un o eisteddfodau'r Urdd a'r geiriau'n fy hudo innau i gredu fod canu cerdd dant o fewn fy ngallu i:

> Twm Huws o Ben y Ceunant,
> A Roli bach, ei frawd,
> A deg o longwyr gwirion
> O lannau Menai dlawd.

> Cerrig oedd tir ein cartref
> A llwydaidd oedd ein hynt;
> Doedd dim yn digwydd yno
> Ond haul a glaw a gwynt.

Maen nhw'n dal i ganu'n fy nghof i, ond eu hadrodd yn dawel bach y bydda i. O, ia, byd geiriau oedd un Llenfa.

Does gen i'm syniad pryd y dechreuodd yr arferiad o gynnal yr hyn fyddai Dad yn ei alw'n 'gyngerdd mawreddog' yn y parlwr bob nos Nadolig. Cyngerdd i dri oedd hwnnw. Ni oedd y perfformwyr a'r gynulleidfa. Nid rhywbeth ffwrdd-â-hi oedd o chwaith. Byddem yn paratoi rhaglen fanwl, yn dyfeisio cwisiau a phosau, yn llunio cerddi ac yn ymarfer yn y dirgel ymlaen llaw.

Pan fyddwn i'n cyhoeddi 'eitem gan Mr Lewis Richard Lewis, Ysw', byddai Dad yn gofyn, 'Be fydd hi tro yma?' a ninnau'n dwy'n ateb ar y cyd, 'Mab y Bwthyn'. Y rhan lle mae'r hogyn o'r wlad sy'n adrodd y stori yn nôl dŵr o Ffynnon Felin Bach ac yn gorwedd ar y gwair yn breuddwydio drwy'r prynhawn oedd fy ffefryn i. Ond roedd yn gas gen i feddwl fod 'y llanc di-boen' wedi cael ei wneud yn 'beiriant lladd'. Roedd ei gariad, Gwen Tŷ Nant, wedi mynd i Lundain i weithio mewn ffatri ac wedi cael codwm yno. Mae'r stori'n gorffen efo'r hogyn, sy'n ddyn erbyn hyn, yn ymbil,

> Gwen annwyl, tyred dithau'n ôl
> i'r lle mae hedd ar fryn a dôl,
> tyrd gyda mi o gartref brad
> i'r nefoedd sydd rhwng bryniau'r wlad.

Ro'n i'n amau fod y Gwen 'ma wedi bod yn hogan ddrwg ond wyddwn i ddim be oedd ei phechod hi. Allwn i ond gobeithio ei bod hi'n gallach na'r eneth ga'dd ei gwrthod, oedd yn rhy styfnig i ofyn maddeuant, a bod y ddau wedi byw'n hapus byth wedyn yn y bwthyn bach to gwellt.

Rydw i'n cofio fel y bydden ni'n dwy'n dotio o'r newydd bob tro a Dad yn chwys domen ar ôl bod yn sefyll â'i gefn at y tân. Ond pan fyddwn i'n cyflwyno 'eitem gan Miss Jennie Williams' a hithau'n dweud, 'Rhan o'r bryddest "Penyd" gan Caradog Prichard', ro'n i'n cael trafferth i anadlu gan fy mod i'n gwybod be i'w ddisgwyl. Hanes hen wraig oedd wedi mynd yn dwl-lal ac yn cael ei hanfon i'r seilam ydi 'Penyd'. Mae hi'n aros i'w gŵr, sydd wedi marw ers blynyddoedd, ddod yno i'w nôl ac yn meddwl ei bod hi'n ei weld yn sefyll yn nrws yr ystafell. Roedd chwys oer yn rhedeg i lawr fy nghefn wrth imi glywed y geiriau:

Darfu. A gwn pe trown fy mhen
i geisio fy rheibiwr croch
y gwelwn o'm hôl ar obennydd wen
wallgofrwydd dau lygad coch.

Nid oedd neb yn y byd a allai adrodd y llinell olaf yna fel Mam.

Ro'n i'n dal i grynu pan ddaeth Dad drwodd o'r lobi, het big fain yn un llanast o sêr bob lliw ar ei ben a hen gyrtan dros ei sgwyddau, a throi rhyfeddod geiriau'n weithred ddewinol drwy estyn un o'r canhwyllau oddi ar y goeden, ei goleuo, a'i gwthio i'w geg gan ddweud, '*Yum, yum*, does 'na ddim byd gwell na channwyll i roi tân yn eich bol chi.'

Mi ddois i wybod wedyn mai fo oedd wedi paratoi'r gannwyll honno ac mi fyddwn innau wedi rhoi cynnig ar yr un tric oni bai fod yn gas gen i flas marsipan. Be fyddai wedi digwydd, tybed, petai o wedi tanio cannwyll arall mewn camgymeriad?

Weithiau, byddai'r cyngerdd yn rhedeg yn hwyr a gweddill yr eitemau yn cael eu cynnal nos drannoeth. Ac fe fydden ni'n tri'n cytuno, bob blwyddyn, mai hwn oedd yr un gorau eto. Dyna un pysgodyn mawr o atgof na allai byth fod wedi dianc o'r rhwyd.

10

Fel hyn yr o'n i'n gweld pethau yn ôl yn 1995 pan luniais i ysgrif ar gyfer y gyfrol *Dylanwadau*:

Rydan ni, fel Cymry, yn rhai garw am edrych dros ein sgwyddau byth a beunydd. Ac un o'r pynciau yr ydan ni wedi rhygnu arno fo hyd at syrffed ydi dylanwadau cynnar cartref a chynefin, ysgol a chapel. Wrth gwrs eu bod nhw'n bwysig. All neb yn ei iawn bwyll wadu hynny, a pheth cwbl annheg ac anghyfrifol fyddai eu diystyru nhw. Ond, yn enw popeth, os mai dyma ddechreuad pethau, nid dyma'r diwedd, does bosib!

Pe bawn i'n credu hynny, ni fyddai waeth imi droi fy wyneb at y pared ddim. Ni fyddai rhagor o ddotio a rhyfeddu, o chwilio a chwalu. Ni fyddai unrhyw ddiben mewn procio sgwrs, na thrafod na dadlau; dim newid barn na chwalu rhagfarn. Dim ond crafu'r wyneb wrth ddarllen; y teledu'n ddim ond gwm cnoi i'r llygad. Y meddwl wedi caledu fel sment; y dychymyg yn hesb; y llwybrau bach dirgel i'r galon wedi'u cau i gyd; y synhwyrau wedi'u rhewi.

Mae'r mynd yn ôl fel hyn drwy gyfrwng y cof yn ddigon i mi. Siawns na all rhywun werthfawrogi'r gorffennol heb hiraethu amdano. I mi, peth difaol, sy'n brifo i'r byw, ydi hiraeth. Waeth heb â gwastraffu amser yn deisyfu ca‹ doe'n ôl neu'n gresynu oherwydd yr hyn a wnaed a'r hyn na wnaed. Dim ond derbyn fod i'r diwrnod ei ddrwg, neu ei dda, ei hun a gallu dweud, fel Omar Khayyam, gan groesi bysedd, rhag ofn:

> Fel llif mewn afon ac fel gwynt ar draeth
> Dydd arall o derm f'einioes treiglo wnaeth;
> Am ddau o ddyddiau ni ofidiaf i –
> Am ddydd i ddyfod, ac am ddydd a aeth.

Dydi honni hynny ddim yn beth hawdd, efallai, ond fe all fod yn wregys diogelwch ar adegau. A rŵan fy mod i wedi mentro bwrw'r rhwyd i'r dwfn, mae'n rhaid imi gyfaddef fod y teithiau byr, gwibiog wedi ateb eu pwrpas dros dro. Er mai hogan o'r Blaena ydw i, nid y plentyn sy'n dychwelyd, ac mae hyd yn oed y cofio'n cael ei liwio a'i lurgunio gan brofiadau eraill. Ond yno y mae'r allwedd os ydi rhywun am ddechrau ei adnabod ei hun a gallu dweud – 'Gwn pwy ydwyf.' Ac onid hynny ydi diben pennaf hunangofiant, y cyfrwng mwyaf hunandybus, hunanol o'r holl gyfryngau, wedi'r cyfan?

Felly, ymlaen â fi, â'm hanwybod yn obaith, ar daith sy'n cychwyn rhwng tomennydd llechi ac yn dirwyn dros y Crimea, i ddinas Bangor a Choleg y Brifysgol.

11

O edrych yn ôl, rydw i'n sylweddoli nad o'n i'n barod ar gyfer
y daith honno. Ymhell o fod yn barod, a dweud y gwir. Mae
gen i ryw gof niwlog imi gael cynnig ysgoloriaeth gan Adran
Gymraeg y coleg; hanner cynnig o ran hynny. Fel yn yr
arholiad sirol, doedd rhoi geiriau ar bapur yn poeni dim
arna i. Ond, yn anffodus, roedd yr hanner arall yn golygu
wynebu cyfweliad, rhywbeth cwbl estron i mi. Mi es am
Fangor – efo pwy na sut, ni wn – heb fath o syniad beth i'w
ddisgwyl. Nid rhes o ystlumod mwy porthiannus na rhai'r
Cownti oedd yn edrych fel pe baen nhw wedi bod yn
gwledda'n helaeth ar lygod bach fel fi, reit siŵr. Yr unig beth
yr ydw i'n ei gofio o'r cyfweliad ydi cael fy nharo'n fud pan
ofynnodd un ohonynt y cwestiwn, 'Ym mha iaith yr ydach
chi'n breuddwydio?' A minnau'r pen bach yn llo cors go
iawn. Ches i mo'r ysgoloriaeth, wrth gwrs, ond dydw i ddim
yn credu i'r methiant fy nharfu'n ormodol gan fy mod i o
leia'n gwybod be o'n i eisiau'i wneud, ac nid breuddwydio
nac astudio mo hynny.

Er i mi ddod o hyd i'm ffordd o gwmpas Bangor fesul
tipyn, rhyw adyn ar gyfeiliorn o'n i yn ystod y flwyddyn
gyntaf, ac am sbel wedi hynny. Yn hostel Maesog dros y
ffordd i'r coleg y bûm i'n byw am dair blynedd er na fyddwn
i'n oedi yno eiliad yn hwy nag oedd raid. Rhannu ystafell i

ddechrau ac yna symud i ystafell sengl, fwll yn y cefn efo'i hun ffenestr nad oedd hi'n werth edrych drwyddi. Efallai fy mod i, fel Yncl John, yn dymuno bod yn rhywle arall ac yn ei hosgoi'n fwriadol. Y cyfan wn i ydi na fu Maesog erioed yn gartref oddi cartref i mi.

Un o'r llyfrau gosod y bu'n rhaid i mi ei astudio ar gyfer Lefel A oedd *Cyn Oeri'r Gwaed*, Islwyn Ffowc Elis. Ond, a minnau wedi gwirioni'n llwyr ar ei ddefnydd unigryw o ansoddeiriau a berfau, mwynhad oedd hynny, nid rheidrwydd. Mae'r geiriau'n dal i ganu'n fy nghof, fel melodi un o'r ysgrifau:

> Gwefusau nwydus Pantycelyn; peswch gofalus y dandiaid yng nghyntedd y theatre; y ffordd yn chwysu tar; clogwyni Craig y Pandy'n breuo'n ddistaw; y myneich yn udo'u gweddïau llwydion ar awr weddi ola'r nos.

Yr ysgrif 'Cyn Mynd' oedd fy ffefryn i. Yn honno, mae'r awdur ifanc yn sôn am y mannau y byddai'n dychwelyd iddyn nhw pe na bai ganddo ond mis i fyw. Doedd y syniad ddim yn fy nychryn i, mwy nag yntau, yr adeg honno. Ond ni fedrais i rannu'r gorfoledd a deimlai wrth iddo fynd yn ôl i ddyddiau Bangor:

> Ni bu, ac ni bydd eu tebyg. Pe rhoed i mi erddi Babilon neu filiynau anghyfrif Rockefeller, nid wyf yn credu heddiw y newidiwn hwy am y pum mlynedd meddwol hynny.
> Bu Menai yn las ac yn frochus, aeth gwanwynau drwy Sili-Wen, ac ni chyfrifais eu myned.

Roedd o'n gyfnod gwahanol, wrth gwrs. Dydw i ddim yn credu i mi deimlo ei bod hi'n 'greisis ar y bywyd Cymraeg' na bod yn llygad-dyst i unrhyw ddadeni. Mi welais innau'r Fenai ar ei gorau a'i gwaethaf a sawl un o wanwynau Sili-Wen, ond heb allu dotio at y naill na'r llall.

Efallai nad o'n i'n barod am hynny chwaith a bod tynfa byd y dychymyg yn gryfach nag un y byd o'm cwmpas. Ond go brin fy mod i wedi sylweddoli hynny ar y pryd er i mi, yn ystod y gwyliau, fynd ati i wneud yr hyn o'n i eisiau ei wneud.

Yno, yn llofft gefn Llenfa, y gwelodd pobol y nofel *Brynhyfryd* olau dydd am y tro cyntaf. A chanlyn ymlaen â'r nofel honno wnes i, rhwng ysbeidiau o astudio. Mi ges gerydd gan un o'r darlithwyr am esgeuluso'r hyn yr o'n i yno i'w wneud, ond bu'n ddigon graslon i ymddiheuro ymhen amser a dweud ei fod yn deall pam.

Gan fy mod wedi addo bod mor onest ag y bo modd, mae'n rhaid imi gyfaddef na fu i mi, yn wahanol i'r mwyafrif o'm cyd-fyfyrwyr yn ôl pob golwg, werthfawrogi 'ehangder dysg' y darlithwyr. Efrydiau Beiblaidd oedd Ysgrythur erbyn hynny, wedi'i bupro â pheth Groeg. Mae'r cyfan o'r iaith honno ond yr wyddor o alffa i omega wedi mynd yn angof llwyr. Rhyw lun o ganolbwyntio ar iaith Maenofferen a'r nefoedd wnes i am y ddwy flynedd nesaf.

Gan amlaf, âi'r perlau o eiriau y dylwn fod wedi elwa arnyn nhw i mewn drwy un glust ac allan drwy'r llall. Y broblem, greda i, oedd tynfa'r rhywle arall o hyd. Do'n i ddim mwy o academydd nag o'n i o actores er bod peth o'r had yn syrthio ar dir ffrwythlon ar adegau ac yn magu gwreiddiau, fel yn ystod ambell un o'r pregethau hirfaith. Rhag rhoi camargraff ac ymddangos yn ormod o benbwl, dylwn ychwanegu imi, ymhen amser, ddysgu gwrando â'r ddwy glust. Pwy allai beidio pan fyddai John Gwilym Jones wrth y llyw? Ond wrth ryfeddu at ddawn un a wyddai werth geiriau, teimlwn weithiau fel pe bawn i'n cael fy arwain fel un o'r plant a hudwyd gan fiwsig cyfareddol y gŵr â'r siaced fraith. Ni allwn yn fy myw dderbyn ei ddehongliad o rai cerddi er nad oedd gen i, gwaetha'r modd, ddim byd amgenach i'w gynnig.

12

Ond fe newidiodd pethau'n ystod yr ail flwyddyn. Yn fy arddegau, mi fyddwn i'n cysylltu hogiau â drewdod chwys traed y pymps a ddeuai'n un chwa i'm ffroenau pan agorent eu desgiau. Mae'n bosibl fod y wal ddiadlam rhwng dwy ysgol Maenofferen wedi cael effaith arna i, wedi'r cwbwl. Yn sicir, doedd yna'r un David John i 'nenu i, er i mi ddod yn eitha hoff o'r cariad bach dychmygol hwnnw yn *Hi a Fi*. Rydw i'n cofio Nia a minnau'n gorwedd ar ein boliau ar graig uwchben Cwmbowydd i wylio cyplau'n caru islaw, a'i chael yn olygfa ddigri tu hwnt.

Daeth y tro ar fyd pan feddyliais i un diwrnod y byddai cael cariad yn beth digon dymunol. Yn Bap. Col., neu Goleg y Bedyddwyr o roi iddo'i enw swyddogol, y dechreuodd y daith garwriaethol. Wn i ddim be aeth â fi i'r cyfeiriad hwnnw. Tybed ai meddwl yr o'n i, fel un o blant yr ysgol Sul a'r Gobeithlu, y byddai darpar weinidogion yn fwy parchus na'r rhelyw o fechgyn? Wedi mocha o gwmpas am sbel – disgrifiad cwbwl gamarweiniol, gyda llaw – dyna setlo ar un. Bellach, gallwn innau frolio 'mae gen i gariad'. Cael cerdded law yn llaw ar hyd Sili-Wen a swatio'n ei chilfach, benthyca beiciau a chrwydro lonydd Môn, a dirwyn y dydd i ben â phaned o Bovril yn un o ystafelloedd Bap. Col. Fo oedd yr unig un i gael mynediad i ystafell ddigysur Maesog er na fu inni erioed rannu'r gwely cyfleus. Y caru diniwed, Platonaidd o'r gwddw i fyny oedd ein caru ni. Roeddan ni'n credu bryd hynny mai felly roedd pethau i fod. Ac yn meddwl yn siŵr mai felly yr oeddan nhw wedi, ac yn, bod.

Flynyddoedd yn ddiweddarach, pan o'n i'n ymchwilio ar gyfer y gyfrol *Kate Roberts* (cyfres Llên y Llenor), fe ddigwyddais daro ar gofnod bach diddorol. Gwilym R. Jones oedd wedi mynd i Rosgadfan i ffureta am newyddion ar gyfer *Yr Herald* ac meddai Catrin Roberts, mam Kate, wrtho:

Mae'r un peth yn digwydd yma ag sy'n digwydd ym mhobman, am wn i. Mae yna blant yn cael eu geni cyn bod priodas, ond pe bai yna grocbren wrth bost y gwely fe fyddai hynny'n digwydd.

Roeddan ni'n ddau'n ddigon hapus, mae'n siŵr gen i. Bûm yn aros yn ei gartref a daeth yntau i Llenfa. Yn wahanol i gymeriadau Kate Roberts, a'r awdures ei hun o ran hynny, nid oedd meddwl am briodi'n fy nychryn. Anaml, os byth, y byddwn i'n ystyried y dyfodol, dim ond gadael i lif yr afon fy nghario i'w ganlyn o ddiwrnod i ddiwrnod. Doedd gen i, fel oedd gan Kate, yr un Prosser Rhys i agor fy llygaid. Meddai mewn llythyr ati pan oedd ar fin cymryd y cam tyngedfennol yn bymtheg ar hugain oed:

Nid wyf yn gobeithio y byddwch fyw'n hapus; ni all artist fyw bywyd hapus, yn ystyr gyffredin y gair, beth bynnag. Ond hyderaf y cewch fywyd dwfn, llawn. Peidiwch â disgwyl gormod oddiwrth y bywyd priodasol. Gellwch ddisgwyl llawer o ddiddanwch cnawd ac ysbryd, llawer iawn. Ond na ddisgwyliwch ormod.

Ond nid oedd angen ei rhybuddio gan iddi dystio mewn llythyr at Saunders Lewis:

> ... os â ein llong yn ddrylliau, fe fyddwn yn barod am hynny, oblegid ein bod wedi cychwyn hwylio â'n llygaid yn agored, ac wedi atgoffa ein gilydd o'r lleoedd peryglus ar y daith. Nid yw'r un ohonom yn ddigon ffôl i feddwl mai mêl heddyw a fydd ein bywyd ar ei hyd.

Er nad o'n i ond un ar hugain oed, fe orfododd amgylchiadau fi i agor cil fy llygaid yn ara bach. Dylwn fod wedi sylweddoli ymhell cyn hynny nad oeddan ni'n dau ar yr un donfedd. Er ein bod ni'n mwynhau ysgrifennu, rhyddiaith i mi a barddoniaeth iddo fo, roedd ein hagwedd ni tuag at y gwaith yn gwahaniaethu'n fawr. Ro'n i'n ei chael yn anodd dygymod â'i ddull ffwrdd-â-hi a dydw i ddim yn credu iddo erioed ddeall gymaint oedd llenydda'n ei olygu i mi.

Daeth pethau'n gliriach fyth pan enillais i gystadleuaeth stori fer *Y Cymro*. Efallai fod ambell un yn weddill sy'n cofio'r digwyddiad cythryblus hwnnw. Stori gwbwl ddychmygol oedd hi am ddau fath o gariad, y corfforol a'r teimladol. Ceisio dweud yr o'n i yn fy ffordd fy hun, a hynny heb brofiad o'r naill na fawr brofiad o'r llall, fod y ddau fath cyn bwysiced â'i gilydd. Mae'n bosibl fod pwy bynnag a

Nain Garreg Fawr

Nain Picton Terrace

Priodas Mam a Dad

HOGAN FACH O'R BLAENA

Standard Two Slate Quarries Girls School

Ysgol Sul capel Maenofferen

Yncl John a Kate (Lal)

Margaret Falmai, Nia a fi

Anti Annie a Mam a Dad yn Lerpwl

Yncl Tom, Mam, Dad a fi yn Park Square

Y tîm hoci

Dyddiau cynnar yn
Ysgol Sir Ffestiniog

Ar fy meic

Y Morris bach
HBV – Hi bia fi

Cyw-awdures yn y Steddfod

Anti Lisi a fi ym Mangor

Catrin, chwaer John Rowlands a minnau'n derbyn y Wisg Wen

Atgof un gusen dyner ar draeth Morfa Bychan

Llew a fi a'r mwncïod benthyg yn Llundain

Diwrnod ein Priodas – 1962

Mam, Sioned a fi
ym Mryn Tawel

Llew, Urien, Sioned a fi
yn Innisfree

Y tri – Sioned, Urien a Gwydion

Lluest

Teulu ni'n edmygu'r Fedal Ddrama yn 1974

ddewisodd ei chynnwys yn y papur wedi rhagweld yr ymateb, ond wnes i ddim. Byddai pobol, rhai ohonyn nhw heb hyd yn oed ddarllen y stori, yn cyfeirio ata i fel 'yr hogan 'na sy'n sgwennu straeon budur'. (Glynodd y label hwnnw wrtha i am flynyddoedd!) Aeth un gam ymhellach a mynegi ei ffieidd-dra mewn llythyr dienw. Er nad oedd y gwag-siarad yn mennu fawr arna i, fe barodd gryn ofid i Mam. Gallwn dderbyn hynny, ond roedd diffyg dealltwriaeth a chefnogaeth yr un a fyddai, rywdro'n y dyfodol, yn rhan o 'mywyd i, yn brifo. O'n i'n disgwyl gormod, tybed?

Mewn nodiadau ar gyfer anerchiad, 'Cyffes Ysgrifennwr', dywed Kate Roberts iddi gau ei llygaid ar bethau fel rhyw ac anfoesoldeb gan nad oedd yn eu hystyried fel problemau i'w dadelfennu nac i'w disgrifio'n fanwl. Ond mewn cyfweliad radio yn 1976 mae'n haeru y byddai'n ddiamau wedi ysgrifennu am ryw petai wedi ei geni ddeugain mlynedd yn ddiweddarach am ei fod 'y peth mwyaf naturiol yn y byd' a bod ei gwaith ar ei golled oherwydd iddi fethu gwneud hynny. Roedd hi'n wyth a deugain pan aned fi ac ni theimlais reidrwydd i osgoi'r peth 'naturiol' hwnnw, er i stori'r *Cymro* fod yn llyffethair am sbel.

Ddwy flynedd ynghynt, pan gyfeiriodd Tom Macdonald at absenoldeb rhyw yn ei gweithiau, a mentro gofyn, '*As it is in many English novels now?*', meddai, heb flewyn ar dafod, '*There are Welsh writers just as guilty.*'

Ar gais y lluniais i'r gyfrol *Kate Roberts* ond mae gen i feddwl uchel ohoni fel llenor. Yn y pwt cyflwyniad ohonof ar y clawr, ceir dyfyniad o *Cydymaith i Lenyddiaeth Cymru*:

Gwelodd rhai beirniaid ddylanwad Kate Roberts ar ei gweithiau cynnar, a hynny'n bennaf oherwydd ei bod yn ferch ac yn perthyn i gefndir chwarelyddol. Ond sylweddolwyd ei bod yn perthyn i genhedlaeth iau ac o'r herwydd yn dangos agwedd meddwl tra gwahanol.

Rydw i'n cytuno â'r beirniaid, i ryw raddau, ac yn amenio'r 'sylweddolwyd'. Mae'r sylwadau wnes i'n y gyfrol *Dylanwadau* yn egluro pam:

Fe fyddai rhai athrawon, ysgol a choleg, flynyddoedd yn ôl, yn rhoi'r disgyblion ar waith i ysgrifennu cerdd neu ddarn o ryddiaith yn null rhyw lenor arbennig. Efallai y gellid dadlau fod hynny'n arbrawf digon diddorol, ond roedd o, hefyd, yn ymarfer peryglus iawn, ac rydw i'n gobeithio'n fawr nad oes yna neb yn gofyn y fath beth heddiw ...

Mae'n holl bwysig fod pob cyw o awdur yn meithrin ei arddull, a'i harddull, ei hun. Wrth feirniadu, am y llais unigryw y bydda i'n chwilio bob amser, nid ailbobiad o waith awdur arall, waeth pa mor llwyddiannus fydd hynny.

Daeth yr 'agwedd meddwl tra gwahanol' i'r amlwg yn y stori fer hir 'Tŷ ar y Graig' ac yn storïau 'Y Drych Creulon' a 'Cudynnau'. Ni allai'r un o 'nghymeriadau i, ac ni allant byth, ddweud, fel yr hen nain yn y stori 'Yr Apêl', mai'r cyfan a welai hi mewn bywyd oedd 'dewis rhwng dau ddrwg o hyd'.

Byddai Dad, oedd yn dewis credu fod drws cartref yr eneth ga'dd ei gwrthod ar gau yn hytrach nag ar glo, yn arfer dweud pan fyddai pethau'n mynd o chwith:

Rhaid cymryd y drwg efo'r da.
Ond dydi'r drwg ei hun ddim mor ddrwg,
A'r da, pan ddaw o, mor dda!

Byw mewn gobaith y deuai eto haul ar fryn yr oedd o adeg helynt y stori, debyg. Er i minnau, fel yr awduron Cymraeg, gael fy nedfrydu'n euog heb gael cyfle i'm hamddiffyn fy hun, na theimlo'r angen i wneud hynny, dal i edrych drwy gil llygaid yr o'n i pan ddaeth yr 'alwad' – i'r darpar weinidog, nid i mi. Bu gorfod bod yn rhan o'r cyrddau ordeinio'n hunllef imi ac yn ddigon i'm hargyhoeddi na wnawn i byth dragwyddol wraig gweinidog. Mae'n rhaid imi gyfaddef mai hen dro gwael oedd dychwelyd y fodrwy ddyweddïo ac efallai mai ceisio f'esgusodi fy hun yr ydw i drwy ddweud mai dyna'r unig ddewis os oeddan ni'n dau am gael rhyddid i ddilyn ein llwybrau ein hunain. Profodd amser i mi wneud y peth iawn ac rydw i'r un mor siŵr ei fod yntau wedi dod i sylweddoli hynny.

Rywdro'n ystod y cyfnod hwnnw mi ddois o hyd i gariad arall, ond nid o gig a gwaed. Ro'n i wrth fy modd yn teithio ar y Vespa coch rhwng y Blaena a Bangor. Ond ni allai Mam, a gafodd ddamwain beic go egar pan oedd hi'n ifanc, fyw yn ei chroen nes ein bod ni'n dau'n ôl yn ddiogel yn Park Square. Mi ges innau ddamwain, er nad oedd yr un ohonom fawr gwaeth. Doedd gen i fawr o ddewis wedyn ond ufuddhau i'r drefn a ffarwelio â'r sgwter bach am byth.

Gadawodd pobol *Brynhyfryd* ddiogelwch y llofft gefn ar daith ansicir i wynebu beirniad y nofel agored (cystadleuaeth sy'n cyfateb i Wobr Goffa Daniel Owen heddiw) yn Eisteddfod Genedlaethol Caernarfon, 1959. Ro'n i ar goll hebddyn nhw er bod gen i barch mawr i'r beirniad hwnnw, Islwyn Ffowc Elis, ac yn gwybod y byddai'n drugarog, o leiaf, wrth y plant yr oedd yr un a'u cenhedlodd wedi eu gwthio dros y nyth. Gwnaeth lawer mwy na'u cydnabod. Aeth â fi, yn ystod yr wythnos, at Wasg Gomer a threfnu i gyhoeddi'r nofel erbyn y Nadolig. Pa lenor arall, ac un a oedd eisoes wedi ennill clod ac edmygedd, a fyddai wedi bod mor barod i helpu cyw-awdures ddibrofiad a'i rhoi ar ben y ffordd? Doedd gen i'm syniad i ble y byddai'r ffordd honno'n arwain ond mi wyddwn, o leia, fod yr hyn yr o'n i eisiau ei wneud yn bosibl.

13

Cywreinrwydd, yn fwy na dim, a wnaeth i mi estyn y llyfryn *Rhyddiaith y Goron, 1961* oddi ar y silff gynnau; rhyw ysfa am gael gwybod be oedd gen i i'w ddweud yn ddwy ar hugain oed. Dipyn o sioc oedd deall mai dyna'r pedwerydd tro i mi gynnig am goron yr Urdd – dod yn ail yng Nghaernarfon (1956) a'r Wyddgrug (1958) ac yn drydydd yn Llanbedr Pont Steffan (1959). Mae'n rhaid fy mod wedi bod wrthi fel lladd nadroedd ond does gen i'm cof o'r un ohonyn nhw. Tinc braidd yn hen ffasiwn sydd i'r stori a'r anerchiad ond fe roddodd geiriau cyntaf yr ysgrif, y cyfrwng myfïol, hunangofiannol, ysgytwad imi:

Fe ro'wn i'r byd am gael bod yn blentyn unwaith eto, yn dechrau tyfu i fyny, ac yn cael blas ar dyfu i fyny. Odid na chawn well hwyl arni nag a gefais dro'n ôl pan roddwyd cyfle i mi dyfu o fod yn blentyn.

Mae ynddi sawl cyfeiriad at ofn, ansicrwydd, siom, cywilydd. Ai felly yr o'n i'n teimlo o ddifri? A ddigwyddodd rhywbeth trawmatig yn ystod y tyfu i fyny nad ydw i'n ymwybodol ohono? Er imi honni yr hoffwn fod wedi aros yn blentyn cyn hired ag oedd modd, wnes i erioed ddeisyfu ail-fyw cyfnod plentyndod, mwy na'r un cyfnod arall. Rhoddodd Parry-Williams yr is-deitl 'Ffansi'r funud' i'w gerdd 'Yr Esgyrn Hyn' a'r is-deitl 'Awr ddu' i 'Celwydd'. Efallai mai cyfuniad o'r ddau a barodd i mi fod mor sobor o negyddol ond mae'n well gen i gredu mai rhyw fath o orchest pìn-ar-bapur oedd yr ysgrif.

Mi fydda i'n ofni ar adegau fy mod i wedi rhoi gormod o raff i'r dychymyg. Yn ôl Albert Einstein, *'Gall rhesymeg eich arwain o A i B ond aiff y dychymyg â chi i bobman.'* Mae hynny'n ddigon gwir, ond fe all, hefyd, eich tywys i dir peryglus yr hyn fydda i'n ei alw'n 'hel meddyliau'. Cyn pen dim, bydd y belen wedi tyfu'n gaseg eira sy'n mynnu dilyn ei llwybr ei hun. Ond pa ddewis oedd gen i ond mynd â fo i 'nghanlyn? Roedd o'n gymaint rhan ohona i â'r graig y bwriais wreiddyn iddi, yno o hyd yn goglais ac yn pigo, yn consurio rhyfeddodau, ac ambell hunllef weithiau.

Ro'n i wedi cymryd yn ganiataol mai athrawes fyddwn i ryw ddiwrnod ac roedd hynny'n golygu aros blwyddyn arall ym Mangor a symud i lety dros dro. Er bod y merched eraill yn ymddangos yn ddigon cartrefol yno, fedrwn i'n fy myw setlo. Y rhywle arall, y gwyddwn i'n dda ble'r oedd o, yn gwrthod gollwng gafael, a minnau heb gysur rhosyn mynydd Yncl John hyd yn oed.

Dim ond stribed o fisoedd gwastraffus fu blwyddyn yr ymarfer dysgu i mi ac ni chefais flas ar yr ymarfer na'r dysgu. Mae gen i ryw go' o letya efo tair hen ferch yn Rhuthun. Erbyn hynny, ro'n i wedi cyfnewid y sgwter am gar, un aill-law ond hynod o ddel, ac yn dianc ynddo bob cyfle gawn i heb ddweud i ble nac efo pwy. Ar ddiwedd y flwyddyn honno, dyna'r ddarpar awdures, y fyfyrwraig amharod a'r esgus o athrawes yn ffarwelio â Bangor, a hynny'n hollol sobor.

Yn ôl i'm cynefin yr es i, i fod yn un o dri unwaith eto – nes imi orfod troi fy wyneb am Gaergybi i rannu fy nhipyn gwybodaeth â rhai oedd yn gwybod llai fyth. Dydw i ddim yn credu i hynny fod yn llwyddiant ond mi ddysgais i gryn lawer. Yr unig ddosbarth yr ydw i'n ei gofio ydi 3I, y criw cymysg nad oedd neb, yn ôl pob golwg, yn malio be ddeuai ohonyn nhw. Roedd cynnal gwers ffurfiol yn amhosibl ond anghofia i mo'r wên ar wyneb un hogyn bach pan gafodd farc a seren am sgwennu'i enw'n gywir, fwy neu lai. Na'r hogan fawr, fygythiol yr olwg, oedd wastad mewn rhyw helynt neu'i gilydd. Be ydi dy hanas di erbyn hyn, tybed, Eileen?

Gan fy mod i wedi penderfynu o'r dechrau na fyddwn yn aros yng Nghaergybi ddiwrnod yn hwy nag oedd raid, mi wnes y gorau o'r flwyddyn. Treulio min nosau'r tymor cyntaf mewn llety cyfforddus yn y dref ei hun, yr ail yn Llannerch-y-medd a'r olaf ym Mangor efo Anti Lisi, oedd wedi mudo i Stryd y Cae, Bangor Uchaf ar ôl colli Nain Manod. A phob penwythnos, wrth gwrs, yn y Blaena.

Yno yr arhosais i, gan fod Ysgol Ramadeg Llanrwst o fewn cyrraedd hwylus, er bod y Crimea'n fwgan ar dywydd garw. Ond roedd dipyn mwy na phellter daearyddol rhwng yr ysgol fawr, amhersonol a'r un fechan, gartrefol. Mae rhai darluniau'n aros hyd heddiw a'r rheini, yn wahanol iawn i ddarluniau llonydd du a gwyn Ysgol Maenofferen, yn rhai bywiog, lliwgar:

Dosbarth 3A, a fyddai wrth fodd unrhyw athrawes. Roedd gwên siriol Elin Mair, chwaer Dafydd Elis-Thomas, y meddyliau effro a'r ymateb brwd, yn ddigon i wneud i mi sylweddoli, o'r diwedd, fod dysgu'n rhywbeth y gellid ei fwynhau a'i flasu.

Barbara P. Knowles unigryw, yr athrawes Ddaearyddiaeth, a'i chŵyn ddyddiol, 'These bloody kids', a fyddai'n asesu dynion â'i 'I wouldn't touch him with a barge pole', a'r rhif yn cynyddu i ddwsin a llawer rhagor. Hi a Spencer-Jones, Arlunio, nad oedd rhampio'r plant, mwy na dim arall, yn mennu dim arni, fyddai'n tanio'u sigaréts yr eiliad y bydden nhw'n camu i'r ystafell athrawesau.

Bu bod yn dyst i'w malio-'run-dam yn agoriad llygad o'r newydd imi er na allwn ond rhyfeddu o bellter diogel, a'r diffyg hyder yn fy nal yn ôl rhag bod yn fi fy hun. Ond roeddan nhw'n ddyddiau da, dros ben. Cael troi trwyn y Morris bach am y Blaena bob diwedd pnawn a gallu dweud yng ngolwg y creigiau a'r tomennydd, 'mi wn pwy ydw i'.

14

Roedd cynnwrf *Brynhyfryd* a'r Urdd wedi hen fynd heibio ond mae'n rhaid fod yr awydd cystadlu'n dal i fudferwi. A dyna gyfnewid y ddesg am lwyfan a chrwydro o un eisteddfod i'r llall yng nghwmni criw o gantorion. Meirion Jones, a ddaeth, ymhen amser, yn arweinydd Côr y Brythoniaid, tad Gwyn Vaughan, Arthur stumgar *Rownd a Rownd*; Trebor, fyddai'n cadw llygad tadol arnom oll; Dic Bach Llan a wnâi ddefnydd helaeth o'r llwyfan gan ddechrau'r gân yn un pen a'i gorffen yn y pen arall; a John Llywelyn, nad anghofia i byth ei ddehongliad gwefreiddiol o gerdd T. Rowland Hughes, 'Y Goeden Afalau'.

Roedd Meirion yn gweithio'n Swyddfa'r Cyngor a byddwn yn galw heibio weithiau i wneud trefniadau at y Sadwrn. Rhyw hen fyrraeth pryfoclyd wnaeth iddo alw i fyny'r grisiau un diwrnod, 'Llew, mae 'na rywun yma i dy weld di.'

Wn i ddim a oes yna'r fath beth â syrthio mewn cariad ar yr olwg gynta, ond mi wn imi, wrth syllu i fyw'r llygaid brown, cynnes, gael eitha codwm o leia.

Yn brin o eiriau, am unwaith, mi rois i'r feiro o'r neilltu am chydig i wrando Sinatra'n canu 'Some Enchanted Evening'. Er nad dyma'r tro cyntaf i mi sôn am yr Ol' Blue Eyes fûm i erioed yn un o'i ffans, ond roedd gen i deimlad y byddai cân Rodgers a Hammerstein yn siarad drosta i:

Some enchanted evening
You may see a stranger
Across a crowded room,
And somehow you know,
You know even then
That somewhere you'll see her
Again and again …

Who can explain it?
Who can tell you why?
Fools give you reasons,
Wise men never try.

Mae gofyn newid rhai geiriau wrth gwrs, ond rydw i'n credu 'mod i'r un mor ymwybodol o'r hud a'r lledrith yn yr ystafell foel, ddiaddurn y prynhawn hwnnw o aeaf ag o'n i yng ngweithdy Dad wrth wylio'r dail a'r llythrennau'n dod yn fyw. Na, dydw i ddim yn credu mewn tylwyth teg, ond maen nhw yn bod!

Oedd, roedd y da wedi dod a minnau'n barod i wynebu'r 'dydd i ddyfod' heb orfod croesi bysedd na cheisio eglurhad i'r pam. Er bod doe marw Omar Khayyam yn dal yr un mor fyw imi, roedd i bob heddiw'r cysur a'r wefr sydd i'w chael o fod yn un o ddau. Dawnsio'r conga ym mharti Nadolig NALGO yn Nolgellau, crwydro'r wlad mewn fan ddrafftiog heb deimlo'r oerni, a dyweddïo yn Llundain yn ystod penwythnos y Pasg.

Yn Eisteddfod Genedlaethol Llandudno yr o'n i pan daeth Llew â rhosyn i mi ar fy mhen blwydd – nid unrhyw rosyn, ond un o'n gardd ni yn Bryn Tawel, Dolwyddelan. Cyn diwedd y mis, roeddan ni wedi setlo yno, dros y mynydd i'r Blaena. Llew drefnodd y mis mêl ym Mharis a'r mudo i'n cartref newydd. Dydw i erioed wedi bod yn un dda am drefnu. Ond symud ymlaen law yn llaw wnaethon ni, yn eneidiau cytûn.

Nid peth hawdd ydi cyd-fyw â darpar awdur. Wn i ddim sut y byddwn i wedi ymdopi pe bawn i'n y sefyllfa honno. Mae'n wir fy mod i wedi arafu dros dro ond roedd yr ysfa sgwennu cyn gryfed ag erioed. Er imi addunedu cyfri 'mendithion sawl gwaith, anaml iawn y bydda i'n llwyddo. A go brin fy mod i wedi sylweddoli'r haf hwnnw pa mor lwcus o'n i o gael un a oedd nid yn unig yn deall ond yn barod i annog a chefnogi. Er mai f'enw i sydd ar gloriau'r gwahanol gyfrolau, mae i Llew ei ran ym mhob un ohonyn nhw.

Dychwelyd i Lanrwst wnes i am ddau dymor, wedi newid fy nghyfenw, ond yr un mor wyrdd, a'm methiant i ateb y bwledi cwestiynau am ryw y byddai Knowles yn eu saethu ata i yn achosi difyrrwch mawr iddi. Ond mi wyddwn pwy o'n i, er nad oedd y rhywle arall yr un.

Dydi ysbyty mo'r lle gorau i ddathlu pen blwydd ond yn Dewi Sant, Bangor yr o'n i ar Awst y seithfed, 1964. Yno y daeth ein babi cyntaf ni i'r byd ac yno y bûm i am rai wythnosau, yn ysu am gael mynd adra i chwarae tŷ bach go iawn a bod yn un o dri, dros dro. Ond i Mam, tri oedd y rhif perffaith. Gweld hanes yn ei ailadrodd ei hun yr oedd hi, a Sioned yn ymgorfforiad o'r un a fu'n ganolbwynt ei byd am yn agos i chwarter canrif.

15

Virginia Woolf ddwedodd, wrth annerch ei chynulleidfa-
oedd benywaidd yng ngholegau Newnham a Girton,
Caergrawnt: '*A woman must have money and a room of her
own if she is to write fiction.*'

Mae'r 'rhaid' a'i hagwedd nawddoglyd yn mynd dan fy
nghroen i. Oherwydd iddi etifeddu arian, roedd hi'n rhydd
i fwynhau'r rhyddid hwnnw. Ond be oedd ots gan un o
aelodau elitaidd a snobyddlyd cylch Bloomsbury am
ymdrech merched nad oedd ganddynt obaith o'r naill na'r
llall? Yn ôl sylw bachog Dorothy Parker (hi sy'n cael y clod,
o leiaf), roedd y bohemiaid breintiedig hyn '*Yn byw mewn
sgwarau, yn peintio mewn cylchoedd ac yn caru mewn
trionglau.*'

Ni wyddwn i fawr ddim am yr un o'r ddwy ond fe wyddwn
ddigon i wybod na allai'r un Gymraes, na Chymro chwaith
o ran hynny, wneud gyrfa o ysgrifennu creadigol. Ond
doedd hynny'n poeni dim ar Llew a finna. Ac mi ges i fy
ystafell fy hun – cwt pren wrth dalcen y tŷ, a fedyddiwyd yn
'stydi'. Os mai yn llofft gefn Llenfa y daeth pobol *Brynhyfryd*
i fod, yno y ganed Enid, y cyfeiriodd yr Athro J. E. Caerwyn
Williams, beirniad y Fedal Ryddiaith yn Eisteddfod
Pantyfedwen, 1966, ati fel:

un o greadigaethau mwyaf gwefreiddiol llenyddiaeth Gymraeg ddiweddar, personoliaeth sy'n adlewyrchu cymhlethdod bywyd yr ifanc yn yr oes hon ac sy'n ymglywed â'r tyndra rhwng y traddodiadol a'r chwyldroadol y tu allan, a rhwng y confensiynol arferol a'r gwrthryfelgar ffrwydrol o'r tu mewn ... Goleuir cymeriad y ferch ifanc â golau llachar ac eto gadewir cylch o ddirgelwch amdano, ac ni allwn beidio â dweud gyda rhywun arall: "Rhyfedd ac ofnadwy y'm gwnaed".

Bu'r ganmoliaeth ry hael honno'n sbardun imi. Menter ydi cystadlu, bob amser. Fe all pethau fynd o chwith weithiau ac mi wn i am rai roddodd y ffidil yn y to wedi derbyn beirniadaeth anffafriol. Ond go brin y gallwn fod wedi ennill yr hyder i symud ymlaen oni bai am y llenor a'r ysgolhaig yr oedd gen i barch mawr iddyn nhw.

Gan fod Enid, y greadigaeth honno, yn gymaint o ddirgelwch i minnau erbyn hyn, rydw i am ddal ar y cyfle i fynd yn ôl ati a dod i'w nabod unwaith eto.

Lleoliad dychmygol sydd i *Brynhyfryd*; rhes o dai ar gwr pentref mewn ardal wledig. Yn *Tŷ ar y Graig*, mae Enid, wedi iddi adael yr orsaf, yn dilyn strydoedd yr o'n i'n gyfarwydd iawn â nhw. O, ia, y Blaena ydi'r cefndir yma ond nid fi sy'n dychwelyd yno. Geneth ifanc chwerw ydi hon a'i bryd ar ddial, ac ni allaf gymryd ati o gwbwl. Ond ta waeth am hynny. Sawl gwaith yr ydw i wedi haeru nad oes raid i awdur hoffi'i gymeriadau cyn belled â'i fod o neu hi'n gwneud ymdrech i geisio deall be sy'n gwneud iddyn nhw dician ac yn malio be ddaw ohonyn nhw? Roedd Charles

Dickens, yn ôl ei gyffes ei hun, yn chwerthin ac yn crio efo'i gymeriadau. Cafodd ei feirniadu'n hallt gan Virginia Woolf (hi eto!) ac awduron eraill oherwydd ei sentimentaliaeth Fictoraidd ac aeth Oscar Wilde gam ymhellach drwy ddweud, 'One must have a heart of stone to read the death of little Nell without laughing.'

Beth bynnag am hynny, pysgodyn bach disylw mewn cefnfor anferth o'n i, yn sgwennu i lond dwrn o gynulleidfa. Rywsut rywfodd, bu dicter a chasineb Enid yn drech na'r piti a deimlai'r hogan fach honno yn stafell gefn a gardd Picton Teras. Rydw i'n deall ei chymhellion a'i hangen i geisio'i chyfiawnhau ei hun ond yn cytuno â John, gŵr ei chwaer, pan ddywed Enid fod ganddo'r hawl i'w hamau a gweiddi'i beiau allan ar goedd gwlad:

Dyna fasa'n eich plesio chi yntê, Enid? Rydach chi'n hoffi cael eich brifo. Rydach chi'n hoffi meddwl fod pobol yn eich casáu chi. Mae hynny'n rhoi hawl i chi eu brifo a'u casáu nhw. Ond dydyn nhw ddim yn eich casáu chi. Maen nhw'n eich pitïo chi, o waelod calon.

Er bod Enid yn mynnu nad ydi hi'n gofyn piti, pe bawn i wedi canlyn ymlaen â'r stori mae arna i ofn mai drysau cau fyddai'n ei hwynebu ble bynnag y byddai hi. Ond ei gadael ar y trên i gymryd ei siawns wnes i a'i hwyneb at y mynyddoedd a'r haul. Ac o'r lle yr eisteddai ni allai weld yr un domen.

Mi wn i mi ddweud ar y dechrau fy mod i'n rhy brysur i

gadw cofnodion ond dydi hynny ddim yn hollol wir. Gan mai gwaith unig ydi llenydda a'r gynulleidfa bryd hynny'n un fechan, ddethol, roedd cael ymateb cynulleidfa ehangach yn bwysig. Byddwn yn cadw torion o bapurau newydd a rhai llythyrau, ac yn eu glynu mewn llyfrau lloffion. Rydw i'n credu mai ofn, yn bennaf, oedd i gyfri am hynny; ofn y byddwn, ryw ddiwrnod, yn deffro i gael fod y llifeiriant geiriau wedi sychu'n grimp a minnau eu hangen i'm hatgoffa o'r cynnwrf a fu. Yn anffodus, nid oes dyddiadau arnyn nhw. Geiriau, nid rhifau, oedd yn cael y lle blaenaf.

Mae gen i, hefyd, rai dyddiaduron. Wrth chwilio drwy'r rheini, mi ddois o hyd i ddyddiadur Dad am 1957. Roedd ei fyd yn llawn i'r ymylon rhwng beirniadu adrodd ac arwain mewn eisteddfodau, cynnal cyngherddau efo Parti Prysor, ei weithdy ... a'i gapel. Rydw i'n cofio teimlo'n swp sâl y noson yr oeddan nhw'n dewis blaenoriaid yn Maenofferen:

Pregethwr oedd Dad am fod pan oedd o'n ifanc. Mi fydda wedi gneud un llawar gwell na'r Parchedig Edwards a'r Parchedig Griffiths. Fydda fo byth wedi codi ofn ar bobol drwy sôn am farw a bygwth diwadd y byd a thân uffern, dim ond gneud iddyn nhw deimlo'n well, a diolch eu bod nhw'n fyw. Ond doedd 'na ddim pres i'w yrru o i'r coleg. Er ma' peth ail ora oedd cael bod yn flaenor, tasa Dad yn methu cael digon o bleidleisia dyna freuddwyd arall yn dipia.

Ond –

Roedd y siwrna adra'r noson honno yn gneud i mi feddwl am Iesu Grist yn marchogaeth i Jeriwsalem. Doedd 'na ddim canghenna'n cael eu chwifio na'u taenu o gwmpas, ond roedd pawb yn tyrru i longyfarch Dad, ac mi dw i'n siŵr y byddan nhw wedi gweiddi 'Hip, hip, hwrê' oni bai ei bod hi'n nos Sul.

Fe gawson ni gig a thatws wedi'u ffrio i swpar, a'r tun mefus, oedd yn cael ei gadw ar gyfar achlysur arbennig, yn bwdin.

Rydw inna'n ymddangos yn y dyddiadur, wrth gwrs, dro ar ôl tro:

> 'Eigra'n cael dim ar yr ysgrif yn Eisteddfod Waunfawr. Cwilydd o beth am ysgrif mor dda.'
> 'Eigra yn wych mewn drama yn yr ysgol.' Go brin!
> 'Tair gwobr i Eigra yn Eisteddfod Llangefni. Wel, wel, anfarwol.'
> 'Eigra yn dod gartref. Hwrê.'
> 'Eigra yn mynd i Fangor heddiw, a gwacter mawr ar ei hôl.'
> A beth am gri o galon un oedd bob amser yn barod i gyfri'i fendithion:
> 'Dydd Nadolig tawel, hyfryd. Diolch i Dduw amdano ac am ei ddaioni mawr i ni'n tri.'

Diolch i titha, Dad, am fod yn ffrind mor dda.

Efallai mai'r peth callaf i'w wneud o hyn ymlaen, os ydw i am gael unrhyw drefn, ydi defnyddio'r cyfrolau yr ydw i wedi'u hysgrifennu fel rhyw fath o gerrig milltir a gadael i eraill gael dweud eu dweud pan fydda i wedi cael digon ar glywed fy llais fy hun.

Mae'r torion yn profi i mi gael ymateb i *Tŷ ar y Graig.* Fe achosodd y pennawd cwbwl gamarweiniol, '*A novel about bad girl wins housewife £100*', helynt ar y pryd. Yn ôl y gohebydd, roedd y nofel yn seiliedig ar y gyfrol *Look Back in Anger.* Bu'n rhaid i'r *Western Mail* ymddiheuro'n gyhoeddus. Byddai'r sylwadau celwyddog wedi bod yn ddigon heb y cyfeiriad at yr *housewife* oedd yn euog o lênladrad. Fe wnaeth hynny imi sobri cryn dipyn a gafael yn dynnach yn y beiro Bic. Ar dudalen arall o'r llyfr lloffion ceir llythyrau hynod glên gan Waldo Williams (yn cyfeirio at *Brynhyfryd*) a Saunders Lewis (un yn sôn am y rhaglen radio *Bwlch y Gwynt* a'r llall yn diolch am *Tŷ ar y Graig* ac yn cynnwys y geiriau, '*I'm tŷb i y mae hi'n glasur bychan*'). Yr ysgolhaig o lenor sy'n haeru hynny, nid y fi, ond roedd derbyn y llythyrau'n golygu gymaint mwy na helynt ddi-alwamdani un o weision diawl y Wasg a'r canpunt pitw am rai misoedd o waith.

Drama radio i leisiau oedd *Bwlch y Gwynt.* Honno ydi'r graig fygythiol sy'n tyrru uwchben stryd fawr y Blaena. 'Pedwar pen' sy'n siarad – tad a mam a mab a merch. Fel cyn-chwarelwr sy'n ymfalchïo'n ei grefft, mae clywed y mab yn haeru mai chwarelwr ydi yntau am fod yn rhoi cysur a gobaith i'r tad. Ond i'r fam, y ddynas ddŵad sy'n hiraethu am dir meddal ei hieuenctid, fel fy Yncl John i:

Hunllef fy mywyd i oedd meddwl am ddau bâr o 'sgidiau chwarel ar lawr wrth ddrws y cefn. Mi wnes i fy ngorau i osgoi'r ail bâr, ac mi lwyddais. Heddiw, mae fy mab i'n brifathro ysgol rhwng môr a mynydd, mewn dyffryn gwastad, gwyrdd. Pleser mawr fy mywyd yw gweld y lle gwag wrth ddrws y cefn.

Er nad oedd gen i gysylltiad uniongyrchol â'r chwarel ro'n i'n ymwybodol iawn o bwysigrwydd yr olyniaeth. Rai degawdau'n ddiweddarach, fel hyn y ceisiais i gyfleu dyhead mab arall yn y gerdd 'Y llun tu hwnt i'r llenni':

> Ni allai dysg gymell dôr
> na sgŵl ei foldio'n sglor;
> un llwybr a welai'n y llwch,
> un drws allan o'r dryswch.
> O'i ddesg, ei nod oedd esgyn
> I ennill lle yn y llun.
>
> Ei ordd yn cario'r ddoe yn y curiad
> a sŵn y cynio'n asio'n aceniad;
> y meini'n agor â'r un mynegiad
> a dail y crawiau yn dal y cread;
> pensaer ar staer ei ystad – â'i arfau'n
> uno dolennau cadwyn dilyniad.
>
> Uno'i daith ag un ei dad,
> eu dau â'r un dyhead;
> deubar o sgidiau chwarel
> a'u sang yn adleisio'u sêl,
> ac o ris i ris yr un
> nerth i'w hosgo wrth esgyn.

Troi ei gefn ar y chwarel wnaeth y mab hwnnw, hefyd, pan fu'n dyst i effaith difaol clefyd y llwch:

> Caethiwed yw'r caledwaith
> heb ei dad i hybu'i daith;
> oferedd o lafurwaith.

Does gen i'm cof o gystadlu am Fedal Ryddiaith Eisteddfod Pantyfedwen yn 1965 nac o ysgrifennu'r ddrama *Y Lle i Mi*. Rydw i'n credu mai John Gwilym Jones oedd y beirniad. Dipyn o fenter oedd hynny gan mai llugoer fu ei ymateb i *Brynhyfryd*. A mwy o fenter fyth oedd cyflwyno drama a rhan helaeth ohoni mewn *Scouse* sydd, gobeithio, yn haws ei ddeall nag un y Mrs P honno. Mae gen i ryw syniad mai'r gân 'Ferry Cross the Mersey' gan Gerry and the Pacemakers oedd y symbyliad, ond ateb gofynion y gystadleuaeth am ddrama fer yn ymwneud ag agwedd arbennig ar 'yr her i fywyd Cymru heddiw' oedd y nod. Y lle sy'n bwysig yma, fel yn *Tŷ ar y Graig*, a'r ffin rhwng cariad a diflastod yn un ddigon bregus. Mae ymlyniad Debby wrth y ddinas gyda'i gutters all bubbly with rain, and mucky old smells, and dirt yr un mor ddiwyro ag ymlyniad Cit, yr athrawes ganol oed, wrth y tir sy'n cynnal ei gwreiddiau, a'r ddau gyw a fagwyd yn uffern (neu'r nefoedd) yn mynnu aros lle maen nhw. Mae Tecwyn, y bachgen a giliodd dros dro, yn teimlo'r gefynnau'n gwasgu a Bob, gŵr Cit, na fu erioed yn rhan o'r lle, yn ymdrechu i ddod o hyd i'r ffordd allan.

Mi fu ond y dim i mi, wrth grwydro, wneud stomp o

bethau. Wrth roi stori Enid yn ôl ar y silff, dyna sylweddoli fy mod wedi neidio blwyddyn. Ond mae pedair cyfrol y chwedegau mor bell yn ôl erbyn hyn, a'u cynnwys wedi mynd yn angof, fel bod gofyn imi fy atgoffa fy hun ohonyn nhw.

Roedd y cyfuniad o inc yn y gwaed a'r ysfa gystadleuol aeth â Mam a Dad o un steddfod i'r llall wedi cael gafael go sownd arna i. Ond nid oedd gofyn i mi orfod wynebu cynulleidfa na theithio ledled Cymru, dim ond camu o'r tŷ i'r cwt pren i greu geiriau o'r newydd yn hytrach na gorfod cofio geiriau rhywun arall. Mi fyddwn yn cilio yno bob cyfle gawn i. Rhag ofn imi greu camargraff a pheri i rywun ofyn, 'A beth am y babi druan?' efallai y dylwn ychwanegu nad peth hawdd oedd cyfuno bod yn fam ac yn awdures. Nid ar chwarae bach y dysgais i fod yn rhaid wrth ddisgyblaeth, a hen air digon cas ydi hwnnw. Roedd Llew wedi symud o'r Blaena i Gyngor Hiraethog, Llanrwst. Ac yntau wedi gadael yr ysgol er mwyn helpu'r teulu pan fu farw'i dad, cafodd swydd efo'r cyngor yn Nolgellau. Am ei fod o'n dipyn o hen ben, yn arbennig mewn mathemateg, llwyddodd i ddringo o ris i ris a gallai yntau honni fel Sinatra, 'I did it my way.' Ro'n i'n hynod falch ohono fo.

Gan fod Bryn Tawel ar godiad tir, golygai hynny dair siwrna i lawr fflyd o stepiau er mwyn cael y pram, a'r babi, o'r tŷ i'r ffordd, a thair siwrna'n ôl. A cherdded rhwng yr 'i lawr' a'r 'i fyny', drwy bob tywydd, am siop y pentref. Be oedd ots nad oedd gen i gar yn ystod y dydd? Ro'n i'n ifanc ac yn ffit. Pan mae rhywun yn hapus, dydi pethau bach fel'na ddim yn broblem. Deuai'r ddwy nain ar y trên o'r Blaena i warchod Sioned yn eu tro a Taid i'n helpu ni i dwtio'r lle a chodi waliau. Brodor o'r Rhondda oedd mam Llew, wedi magu wyth o blant a cholli dau o rai bach; un fechan, fywiog a lwyddodd i wynebu stormydd bywyd heb chwerwi. Mae gen i gywilydd cyfaddef na fu i mi sylweddoli faint o ymdrech oedd y mynd a'r dod i'r tri ohonyn nhw.

Newydd gofio yr ydw i, hefyd, mai storïau'r ail gynnig ydi rhai *Y Drych Creulon*. Yn Eisteddfod Genedlaethol y Bala, 1967, gofynnwyd am gyfrol o ryddiaith wreiddiol heb fod dros 30,000 o eiriau. Rydw i'n credu fod yr ymgais 'Ar Ddwy Lech Faen' yn cynnwys naw neu ddeg o storïau byrion. Ni lwyddodd *Un o'r Dyrfa*, mwy na neb arall, i blesio'r beirniaid, ac fe ataliwyd y wobr. Roedd bod Glyn Tegai Hughes yn gweld y cymeriadau fel rhai carbord, a Caerwyn Williams yn credu y byddai *Ar ddu a gwyn* yn well teitl gan fod yr awdur yn gweld popeth yn y naill liw neu'r llall, yn brifo i'r byw. Nid felly yr o'n i'n gweld pethau ac yn sicir nid felly yr o'n i'n dymuno'u darlunio. Ond onid pwrpas pennaf beirniadaeth, cyn belled â'i bod yn feirniadaeth adeiladol, ydi peri i rywun ei holi ei hun? Dydi sylwadau cwbwl negyddol o ddim gwerth i neb.

Yn hytrach na gadael i'r briwiau gronni, mi es ati i ofyn pam yr awgrymodd yr Athro nad oedd yr awdur wedi penderfynu pa fath o stori fer y gallai ei sgrifennu orau a bod y gwendidau ynddynt yn ganlyniad y syniad oedd ganddo pa fath o beth y dylai stori fer fod. A sylweddoli, ar ôl i'm gwaed oeri ryw gymaint, fod y dylanwadau llenyddol, er mor werthfawr, wedi fy nal yn ôl rhag bod yn fi fy hun. Canllawiau ddylai'r rheini fod, nid hualau. Mi ges wared ar rai o'r storïau ac adolygu'r gweddill orau medrwn i. Saith stori'n unig aeth i'r Barri. Mae peth o'u cynnwys, ac enwau'r cymeriadau, wedi dyddio a does gen i fawr i'w ddweud wrth Defi Becws a'i Gaersalem erbyn hyn. 'Pechod Sara Preis' oedd ffefryn Llew ac rydw innau'n dal yn ddigon balch o honno a'r 'Hogan o'r Wlad'.

Mae'n ddigon posib fy mod i yno ar brom Llandudno pan welais i'r pâr priod yn cerdded heibio, ychydig ar wahân, a'r ci pot rhyngddyn nhw. Efallai mai'r osgo fawreddog arni hi a'r olwg bell yn ei lygaid o roddodd fod i'r stori. Efallai, hefyd, i mi glywed yr eneth ifanc a eisteddai ar fainc yn gofyn i'w chariad:

'Mi 'nei di ddal i 'ngharu i, yn gnei, hyd yn oed pan fydda i'n hen ac yn dew fel n'acw?'

'Ei di byth yn hen nac yn dew,' meddai yntau, ar ran pob optimist ifanc mewn cariad.

Pe baen nhw'n gwybod hanes yr hogan o'r wlad a'i gŵr tybed a fydden nhw wedi bod mor chwannog i gusanu? Wrth gwrs y bydden nhw.

Cerdded yn ei blaen wnaeth hi, fodd bynnag, gan ddweud wrth y ci,

'Twt, twt. Mi symudwn ni i le mwy parchus, yntê, cariad?'

Ond yr oedd ar ei ruddiau ef wrid ysgafn a roddai olwg llanc mewn cariad ar ysgwyddau deugain oed. Syllodd ar y cwpwl yn cusanu. Ar yr un fainc yr eisteddai ef a'i gariad. Yr hogan ffeind honno efo'r wyneb plentynnaidd a'r llygaid llonydd, a gyneuodd y fath obaith ynddo unwaith.

'Ydach chi'n ein cofio ni'n eistedd ar y fainc acw?' gofynnodd, gan symud mor glos ag oedd bosibl at ei wraig heb gyffwrdd y ci.

'Nag ydw i wir,' yn siort.

'Y diwrnod hwnnw y rhois i oriad y tŷ i chi oedd hi.'

'Mi allwch ymfalchïo yn hynny o leia. Be fasa'ch hanas chi wedi bod tybad?'

Ie, beth tybed, meddyliodd, wrth gerdded ar hyd y prom, gam wrth gam, efo gwraig, ddigon diolwg, a chi. Ni fu iddo edrych yn ôl wedyn. Yr oedd hi'n resyn am hynny. Oherwydd yr oedd y cwpwl wedi symud, a'r fainc yn wag. Onid felly y dylai fod, yn garreg goffa deilwng i'r hogan o'r wlad?

Seremoni ddigon tila oedd un y Fedal bryd hynny. I Robyn Léwis a'i frwdfrydedd rhyddieithol y mae'r diolch pennaf ei bod wedi magu urddas yn ystod y blynyddoedd. Welais i fawr o'r eisteddfod ac ni fyddwn wedi mentro i'r llwyfan heb y clogyn mawr oedd yn cuddio'r ffaith fod babi ar ei ffordd, a hynny o fewn tair wythnos. Fe gyrhaeddodd Urien ar Fedi'r cyntaf a gwneud y tri yn bedwar.

17

Mi luniais siamplar o liwiau'r cread
ag edau gobaith, breuddwyd, dyhead,
a'i roi i'w gadw nes dod y diwrnod
i'w dynnu o'r llwch a mentro'i ddatod.

Yn y gyfrol *Parlwr Bach* (2012) y gwelodd y pennill olau dydd
am y tro cyntaf ond mae bywyd i gyd yn y siamplar hwnnw.
Erbyn meddwl, efallai y byddai dymuniad yn fwy addas na
breuddwyd gan na fydda i byth yn breuddwydio, ynghwsg
nac yn effro. Gair diarth ydi siamplar erbyn heddiw. Byddai
cwilt yn cynnig cynfas ehangach. Beth bynnag am hynny,
mae'r amser wedi dod i'w dynnu o'r llwch a mentro datod y
pwythau.

Cyfuniad o bwytho dyfal a deunydd o bob math ydi cwilt
mawr, lliwgar y saithdegau. Rhai digon blêr oedd y pwythau
ar adegau. Nid Dorcas mohona i. Teimlo fy ffordd yr o'n i,
fel mam ac fel awdures. Daeth *Cudynnau*, yr ail gyfrol o
storïau byrion, o'r wasg ym mis Tachwedd 1970. O'u darllen
heddiw, rydw i'n sylwi fod yna ormod o'r 'fel' ynddyn nhw.
Mae cymariaethau, fel pob dim arall, yn colli peth o'u
heffaith drwy eu gorddefnyddio. Er i'r beirniaid ddisgrifio'r
arddull fel un 'aeddfed a thringar', roedd y dylanwadau
llenyddol yn gyndyn o ollwng gafael a John Rowlands yn

llygad ei le pan ddwedodd mewn adolygiad yn *Barn*:

Mae Eigra Lewis Roberts yn llenor bwriadus, hunan-
feirniadol, ac yn troi at y stori fer er mwyn ei disgyblu ei hun
a meistroli'i chrefft. Nid oes amheuaeth nad yw Cudynnau
yn dangos cynnydd mewn crefft.

Bu yntau'n bur feirniadol o'r defnydd o gymariaethau a'r
duedd i efelychu'r Dr Kate, er iddo gyfeirio, hefyd, at y
'sgrifennu allblyg, powld, diymatal, gwrywaidd o ran ei
naws', gan ddyfynnu o'r stori 'Angladd Cyhoeddus', lle mae
merch yn atgoffa'i ffrind o'r noson y buon nhw'n caru ar y
traeth efo'r ddau hogyn rheini o Lerpwl:

*Gorwadd o dan y garafan yn y storm fwya melltigedig welis i
rioed. Mi ddaeth 'na sglefran o felltan nes 'i bod hi'n gwanu
drwy'r tywod o dan fol y garafan. 'Arglwydd mawr,' medda fi,
a chodi ar fy ista, heb gofio lle'r o'n i. Mi ddyliast ti mai'r
llabwst Sgowsar oedd wedi mynd yn rhy bell. 'Rho un i'r
cythral', meddat ti.*

Ro'n i ar y trywydd iawn, o leia, er bod llawer mwy o
stormydd i ddod.

Rydw i'n dal i gofio o ble y tarddodd storïau 'Yr Arch
Gwydyr' a 'Cudynnau' er nad oes a wnelon nhw ddim â'r
syniad cychwynnol. Ar y cyfan, er eu bod nhw'n galetach
storïau, mae'r tosturi, a thristwch anallu pobol i ddeall ei
gilydd, yn mudferwi ym mhob un.

Yna, ar Orffennaf 13, 1971, cyrhaeddodd Gwydion a'i gyrls

melyn. I ble diflannodd y rheini, tybad? Bydd y tri ohonyn nhw'n ymddangos yma, o dro i dro, ond rydw i am ddogni'r atgofion. Gall pobol sy'n mynnu i chi rannu eu profiadau gwyliau neu orchestion eu plant fod yn dipyn o fwrn. Y rhain ydi'r trysorau bach personol nad ydyn nhw o fawr ddiddordeb i neb arall. Os ydach chi am eu cadw'n ddiogel, eu storio'n yr ystafell nas cenfydd y byd ydi'r peth doethaf i'w wneud.

Mae'n wir fod methu cael amser i sgwennu'n fy nharfu weithiau ond byddai cael bod efo'r plant yn gwneud iawn am hynny. Roedd Sylvia Plath, bardd ac awdur *The Bell Jar*, er ei bod yn meddwl y byd o'i rhai bach, yn ei chael yn anodd cyfuno'r ddau fyd. Rhoi mynegiant i'w phrofiad hi i yr ydw i yn 'Hwiangerdd', un o gerddi'r Goron yn Eisteddfod Abertawe:

> Si hei lwli'r fechan rwyfus
> sy'n mynnu'i mam â'i chri ystrywus
> ac anniwall wanc ei heisiau'n
> ei chydio wrthi fel gefynnau.
>
> Si hei lwli'r fechan farus
> a'th wefusau blysiog, rheibus.
> Onid digon maeth ei bronnau
> heb iti hefyd sugno'i geiriau?
>
> Si hei lwli lwli'r fechan,
> paid, da ti, â llowcio'r cyfan;

siawns na elli sbario iddi
ddafnau maeth i fwydo'r cerddi
rhag eu marw cyn eu geni.
Si hei lwli.

Lle i ddiolch sydd gen i na ches fy nhemtio i fentro'n rhy
agos i'r fflam sy'n denu ac yn difa a bod Llew yno'n gefn imi
drwy'r cyfan. Yn ôl yn y saithdegau, wyddwn i ddim am yr
athrylith o ferch a fu'n dioddef o iselder gydol ei hoes fer, a
go brin y byddwn wedi dod yn agos at ei deall hi. Dydw i
ond yn gobeithio imi lwyddo i wneud hynny drwy gyfrwng
y cerddi.

Defnyddiau cymysg iawn a geir yn y cwilt. Roedd pob
diwrnod yn llawn dop a gallaf ddweud, fel y dwedodd Islwyn
am y pum mlynedd meddwol, 'ni chyfrifais eu myned'. Nid
oedd raid osgoi edrych drwy unrhyw ffenestr bellach nac
ofni ymyrraeth y rhywle arall. Ond ni fedrais erioed sefyll
yn fy unfan. Roedd pethau eraill yn denu a phob rhywbeth
gwahanol yn cynnig profiadau newydd, cyffrous.

18

Pan ddaeth gwahoddiad yn 1974 i lenwi bwlch dros dro yn Ysgol Gynradd Dolwyddelan, cafodd y gwaith sgwennu hyd yn oed ei roi o'r neilltu am sbel. Aeth diflastod dyddiau Caergybi a'r ymarfer dysgu yn angof ond roedd peth o flas cyfnod byr Llanrwst yn aros o hyd. Gan mai'r Slate Quarries School for Girls oedd yr unig ysgol gynradd y bûm i'n rhan ohoni a hynny o reidrwydd, nid o ddewis, bu'r dros dro hwnnw'n brofiad amheuthun, ac yn llawer rhy fyr. Un teulu mawr oeddan ni, William Lloyd Davies, y prifathro brwdfrydig, Annwen, oedd yn gofalu am y rhai bach, a finna a'r plant, yn cynnwys ein dau ni, y gellid dweud am bob un ohonynt, fel Gwenallt yn ei gerdd 'Plentyn':

> Ond fe chwerddi am fod gan bethau
> Eu llinell, eu llun, a'u lliw;
> Aelod bach yn Urdd Sant Ffransis
> Yn dotio ar greadigaeth Duw.

Wyt ti'n cofio'r llunio'r cylchgrawn hwnnw, Dewi, a phawb yn cyfrannu ato'n ôl ei allu a'i ddiddordeb? Wyt i'n cofio'r hwyl fydden ni'n ei gael, Haf? A chditha, Sioned, oes gen ti gof o ddod â llythyr imi i ddweud fod Urien yn cofio ata i o'r ochr arall i'r pared? Go brin eich bod chi, ond mi rydw i.

Wedi mynd am dro yr o'n i un diwrnod, i fyny Allt Singrig a dilyn y llwybr dros y caeau ar gylch yn ôl i'r pentref. Dyna pryd y gwelais i Lluest a theimlo'r cyffro a ddeuai'n sgil pob syniad newydd. Ro'n i'r un mor gyndyn ag arfer o ollwng gafael. Yn nyddiadur 1974, y dois i o hyd iddo ar ddamwain, ymysg y cyfeiriadau brysiog at sawl rhaglen radio a dosbarthiadau nos, mae'r geiriau 'hanner prynu Lluest' a seren ar eu cyfer. Mae'n sobor meddwl fy mod i'n dibynnu ar ddyddiadur i'm hatgoffa mai ar yr wythfed o Fehefin y digwyddodd hynny. Yn ôl hwnnw, bu Llew a minnau yno'n papuro a pheintio, ar yn ail ac ar y cyd, yn ystod y misoedd canlynol hyd at ddechrau Rhagfyr pan mae'r gair Mudo yn ymddangos. Dydw i ddim yn credu i ni gael amser i hiraethu ond fe aeth Urien yn ôl i Bryn Tawel un diwrnod heb yn wybod i ni, i sgubo'r iard, medda fo. Does dim rhaid wrth gofnod i'm hatgoffa o rai pethau.

Roedd i Lluest bedair llofft yn lle dwy, caeau i rampio drwyddyn nhw, a digon o libart i gi a merlyn yn ogystal â'r garafán a gawsai loches dros dro ar dir benthyg. Er i'r cwt coed ateb ei bwrpas i'r dim, mi ges innau ystafell braf oedd yn haeddu cael ei galw'n stydi.

Mae'r gair 'carafán' yn ymddangos dro ar ôl tro yn nyddiadur '74. I Aberdesach y bydden ni'n mynd ar benwythnosau. I mi, roedd cael byw'n y garafán fel chwarae tŷ bach, er mai un ddigon gyntefig oedd hi. Ond roedd gan gornel cae dipyn mwy i'w gynnig na chwt glo Llenfa a gweithdy Dad, a rhyfeddod o fôr o fewn cyrraedd. Yno y dysgodd Sioned a minnau nofio, a hynny pan oedd y ceffylau gwynion yn rhusio ac yn bygwth. Roedd yn rhaid ymateb i'r her, neu suddo.

Er bod gen i awydd rhoi'r storïau byrion o'r neilltu am sbel a chanolbwyntio ar nofel, bu'n rhaid i mi bwyllo a meithrin amynedd, a pheth plagus oedd hynny i un anniddig ei natur. Ro'n i'n dal ati i sgwennu, wrth gwrs, gan na allwn beidio, ond fedrwn i'm mentro dechrau ar waith oedd yn hawlio misoedd o sylw. Mentro wnes i, fodd bynnag.

Fy siomi ges i pan gyhoeddwyd *Digon i'r Diwrnod* ym mis Awst 1974, a hynny oherwydd y cynllun clawr. Roedd yr holl ddüwch yn ddigon i godi'r felan arna i, heb sôn am y darllenwyr. Adlewyrchu pesimistiaeth Omar Khayyam a wna'r dŵr tywyll yn y darlun, ond nid dyna oedd fy mwriad i. Rydw i wedi credu bob amser fod clawr fel ffenestr siop i lyfr ac y dylai'r awdur gael rhan yn y dylunio. Nid felly yr oedd pethau bryd hynny, gwaetha'r modd. Mae'r sefyllfa wedi gwella'n fawr erbyn hyn a'r awdur yn cael cyfle i leisio barn.

Rhyw seren wib fu'r nofel honno, fel llwynog Williams Parry. 'Digwyddodd, darfu', ac ni fu rhagor o sôn amdani. Ei hanghofio wnes innau, hefyd. A theimlo yr ydw i, oherwydd iddi gael ei hesgeuluso, y dylwn roi ail gyfle iddi.

Dyna fynd ati i'w darllen o'i chwr, a'i mwynhau, er nad fy lle i ydi honni hynny. Nid yr Enid na allwn gymryd ati ydi Alis ac nid drysau cau fydd yn ei hwynebu hi. Ceir yma ysgafnder sy'n llacio'r tyndra a phlant i'm hatgoffa o naturioldeb a ffraethineb ein tri ni. Mae'r dylanwadau llenyddol wedi llacio, y cymariaethau wedi'u chwynnu a'r diweddglo'n cynnig gobaith.

Efallai y byddai'n ddoethach imi, cyn ei rhoi o'r neilltu,

droi at ymateb un o'r gynulleidfa ehangach a dyfynnu rhan o adolygiad treiddgar W. J. Jones:

Nid allanolion y cymeriadau a bortreadir – ond nid yw hynny'n bwysig, achos fe lwyddwch i'w hadnabod fel unigolion mewn cymdeithas (gyda'r pwyslais ar y gair 'unig') a sylweddoli drwodd a thro fod dŵr afon sy'n llifo i'r môr hefyd yn ddrych i unrhyw un a fyn edrych arno.

Nofel am drigolion daear yn gweld gwawr a machlud haul ac yn ceisio llenwi bwlch rhwng y ddau gyfnod, gan wybod mai cael eu cario i rywle a wnânt, ac yn diolch fod cyfle i gael cysgu rhwng pob diwrnod.

19

Ein teulu ni sydd yn y llun a dynnwyd yn dilyn seremoni'r
Fedal Ddrama y flwyddyn honno. Seremoni hynod o dila
oedd hi. Mae gen i gof o groesi'r maes a Gwenlyn Parry'n
dweud fod sylwadau John Gwilym o'r llwyfan yn bur
wahanol i feirniadaeth gyfun Emily Davies a hwythau eu
dau, a fyddai'n ymddangos yn y Cyfansoddiadau. Gwnewch
chi be fynnwch chi o hynny, ond roedd o'n brifo ar y pryd.

Drama'n darlunio Ann Griffiths, Dolwar Fach (Ann
Thomas i mi gan i'r awen fynd yn hesb pan ddaeth yn wraig
i Thomas Griffiths) fel yr o'n i'n ei gweld hi ydi *Byd o Amser.*
Daw'r teitl o eiriau clo'r llythyr a anfonodd Ann at chwaer
Ruth, a arferai fod yn forwyn yn Nolwar:

> Hyn oddi wrth eich annwyl chwaer sy'n cyflym deithio drwy
> fyd o amser i'r byd mawr a bery byth.

Hyfdra ar fy rhan oedd ceisio rhoi portread o'r ferch
gymhleth na allwn i rannu na'i chred na'i dyheadau. Ond
ro'n innau'n ffan o'r 'gwrthrych teilwng' a safai rhwng y
myrtwydd. Ac yn dal i fod. Hwn ydi'r Crist a allodd herio'r
diafol, dymchwel y byrddau'n y deml a gadael i Mair
Magdalen sychu'i draed efo'i gwallt. Doedd ryfedd i Ann
syrthio mewn cariad efo fo. Drwy'i hemynau, yn hytrach
na'i llythyrau, y dois i i'w nabod hi. Adleisio dyletswydd

cymdeithasol a wna'r llythyrau ond ei heiddo hi'n unig ydi'r emynau. Roedd hi'n ferch synhwyrus a'i câi'n amhosibl cerdded y gwastad. I fyny ar y copaon weithiau: i lawr yn y dyfnderoedd dro arall. Fe'i gwelodd ei hun yn fychan ac yn eiddil, yn crynu gan ofn:

> Blin yw 'mywyd gan elynion
> Am eu bod yn aml iawn;
> Fy amgylchu maent fel gwenyn
> O foreuddydd hyd brynhawn.

Holl deganau'r byd ac eilunod gwael y llawr oedd y gelynion hyn. Yn ferw o gwestiynau ei hun, credai fod ei chydnabod agos, pobol dduwiol, gadarn eu ffydd, wedi llwyddo i lorio'r gelynion. Ac eto, yr un Ann, yn llawn cryfder a gobaith, a allodd ddweud:

> Addurna'm henaid â dy ddelw.
> Gwna fi'n ddychryn yn dy law.

Rydw i wrth fy modd efo'r gair 'dychryn' yma. Meddyliwch, mewn difri – merch a fu'n crynu o ofn ei gelynion yn gwneud iddyn nhw grynu!

Wrth iddi geisio dilyn rhai y tybiai iddynt ddod o hyd i'r atebion, collodd Ann olwg ar y Crist anfarwol hwnnw a fu unwaith o fewn cyrraedd iddi. Dyna'r piti mawr sy'n cael ei fynegi mor gelfydd gan Rhiannon Davies Jones yn *Fy Hen Lyfr Cownt*. Ond fe aeth hi gam ymhellach a dod â bywyd newydd i ruddin marw'r onnen:

Deiliodd y pren a daeth adar yno i ganu a sŵn dyfroedd rhedadwy i lenwi fy nghlustiau.

Felly y gwelodd Rhiannon ei Ann hi, yn deisyfu bod 'fel pren planedig'. Ac er na alla i honni mai Ann *Byd o Amser* ydi Ann Dolwar na phrofi cywirdeb y darlun, ni all neb arall ei wrthbrofi chwaith. Y cwbwl wn i ydi mai fy Ann i oedd hi yn '73 a '74, ac am sbel hir wedyn. Ond fy ofn mwyaf oedd imi fethu gwneud cyfiawnder â hi.

Ymysg y torion, mae un a fu'n gysur mawr imi ar y pryd:

> Yr oedd byw yng nghwmpeini Ann am fisoedd wedi dod â'r ddwy yn agos iawn at ei gilydd, fel na fedrai y naill adael llonydd i'r llall. Yr oedd Ann wedi dod yn fyw i Eigra, ac mae'n amhosibl esbonio'r gyfathrach rhwng y ddwy. Yn ddi-os digwyddodd rhywbeth i Eigra i gael gafael ar wirioneddau mawr bywyd Ann Griffiths.

Diolch, Gwladys Williams, ond rydw innau'n ei chael yn anodd egluro'r 'rhywbeth' hwnnw. Llwyfannwyd y ddrama am y tro cyntaf yng Nghricieth yn ystod Eisteddfod Genedlaethol 1975 gan Gwmni Theatr Cymru. Nesta Harris oedd y cyfarwyddwr a defnyddiwyd llwyfan troi i hwyluso'r symud o un set i'r llall. Roedd hwnnw'n arbrawf diddorol er iddo godi penysgafndod ar ambell wyliwr. Bu'n ymdroelli o Ben-y-bont i Bwllheli, o Gorwen i Gaerdydd, nes cyrraedd Lerpwl a Llundain. Ymysg y torion ceir adolygiad Saesneg o'r perfformiad yn Theatr Jeanetta Cochrane sy'n un digon clên ond yn bradychu peth anwybodaeth. Ni'r Cymry biau Ann.

20

Cyfuniad o 'niddordeb yn Ann a phennill bach roddodd fod i'r gyfrol *Siwgwr a Sbeis*, hanes deuddeg o ferched Cymru. Gan nad ydw i'n hanesydd, golygai hynny gryn dipyn o waith ymchwil. Ond mi ges i flas ar chwilota yma ac acw ac ar ffitio'r pytiau gwybodaeth i'w gilydd. Heddiw, byddai hwnnw i'w gael ar sgrin y cyfrifiadur heb orfod gwneud dim ond pwyso botwm.

Teimlo yr o'n i fod y gwŷr enwog wedi cael digon o sylw a'i bod yn bryd dod â'r merched i'r golau:

Rydym i gyd yn gyfarwydd â'r hwiangerdd Saesneg sy'n gofyn 'O beth y gwnaed y bechgyn?' O gynffonnau ŵyn bach, llyffantod a malwod, wrth gwrs. A beth am y pennill sy'n dilyn? Dyma'r cwestiwn a'r ateb a geir yn hwnnw –
O beth y gwnaed y merched?
Siwgwr a sbeis a phopeth sy'n neis –
O hynny y gwnaed y merched.

Gyda'r fath gyfuniad fe ddylai merched fod yn llwyddiant mawr. Pam, felly, y mae Hanes mor brin ohonyn nhw?

Pe bawn i'n chi, fyddwn i'm yn rhoi fawr o goel ar y naill bennill na'r llall. Go brin fod y bechgyn bach, na'r rhai mawr o ran hynny, yn haeddu'r fath ddisgrifiad ych-a-fi. Yn sicir, mae yna lawer mwy o sbeis nag o siwgwr ym mhob un o'r merched hyn a dydyn nhw i gyd ddim yn neis o bell ffordd!

Ben Jonson, na fu iddo erioed ddeall natur merch, ddwedodd mai 'cysgodion ohonom ni'r dynion ydi merched'. Byddem ni, blant Maenofferen, yn galw pob gwraig briod wrth gyfenw'i gŵr, a does gen i mo'r syniad lleiaf be oedd enw'r un Miss na Mrs. Roeddan nhw'n gwybod eu lle ac yn dal i lynu wrth y cynghorion a gaed yn *Y Gymraes* gan mlynedd ynghynt:

> Pa beth a ddylai gwraig fod? – Hi ddylai fod y tri pheth hyn, ac ni ddylai fod y tri pheth hyn: 1. Hi ddylai fod yr un fath a chloc y dref, yn cadw ei hamser; ond nid yr un fath a chloc y dref, yn gadael i bawb ei chlywed. 2. Hi ddylai fod yr un fath a malwen, yn cadw yn ei thy ei hun; ond nid yr un fath a malwen, yn cario ei thy ar ei chefn. 3. Hi ddylai fod yr un fath a charreg ateb, yn siarad pan siaredir a hi; ond nid yr un fath a charreg ateb, yn mynnu y gair diweddaf bob amser.

Er hyn i gyd, llwyddodd rhai merched, ar hyd y canrifoedd, i ddefnyddio'r siwgwr a'r sbeis i'w mantais eu hunain a mynnu eu lle mewn Hanes. Efallai na ellir gwneud arwyr ohonyn nhw, ond yn sicr ddigon nid cysgodion mohonyn nhw chwaith.

Pwy oedd Mam Cymru, a phwy oedd Brenhines y Llynnoedd? Pa ferch o Gymraes a feiddiodd daflu ei chysgod dros lamp y foneddiges? Beth sydd a wnelo Drury Lane ag ysgwydd o gig mollt yn Aberhonddu a beth ydi'r cysylltiad rhwng gwenynen a chloc mawr Lludain? Ydi hi'n bosibl adeiladu capel o lwch rhedyn? Os ydach chi am wybod yr atebion, maen nhw yno'n y gyfrol, a chymryd fod honno ar gael erbyn hyn.

Ro'n i'n bwriadu llunio dilyniant yn dwyn y teitl *A Phopeth sy'n neis* ac wedi paratoi nodiadau ar ambell un, fel Gwyneth Vaughan a Megan Watts Hughes, ond bu'r ysfa i ddychwelyd at y storïau byrion yn drech na'r awydd chwilota.

Wn i ddim yn iawn beth i'w feddwl o'r gyfrol *Fe Ddaw Eto*. Rhyw gymysgfa ryfedd o'r lleddf a'r llon sydd yma; gormod o'r lleddf, gwaetha'r modd. Camgymeriad, greda i, oedd rhoi'r lle blaenaf i'r stori *Y Tristwch Sych*. Mae hi'n rhy ingol o bersonol. Dylwn fod wedi aros i'r briwiau wella ryw gymaint yn hytrach na gadael iddyn nhw waedu'n agored. Stori am Anti Lisi ydi hon ac iddi hi, a *ddioddefodd y drafftiau i gyd heb orfod croesi'i bysedd*, y cyflwynais i'r gyfrol. Ond teimlo'r drafftiau heb allu croesi 'mysedd hyd yn oed wnes i. Diolch byth am 'Hywel Maci' a B.T. fach, 'Da B'och, Miss Welsh', *sy'n credu fod cath, hyd yn oed, yn ei chael hi'n haws dygymod o wybod bod rhywun yn malio*.

Os ydi'r fflachiadau o obaith braidd yn brin, ceir yma ac acw addewid o'r cysur sydd gan y teitl i'w gynnig:

> Fe ddaw eto haul ar fryn,
> Os na ddaw blodau, fe ddaw chwyn.

Gall chwyn fod yn bethau digon del. Blodyn, i ni blant y Blaena, oedd y dant y llew a dyfai ym mhob twll a chornel

yng nghanol y llwydni a'r llwch. Nid oedd danadl poethion
yn broblem chwaith cyn belled â bod dail tafol wrth law:

Yng nghôl yr anialwch ym mwrllwch y tes
ceir gwerddon dan balmwydd yn gysgod rhag gwres;
wrth ystlys y danad' a'u brathiad ar groen
ceir llwyn o ddail tafol yn eli ar boen.

21

Gwyddai'r bardd Dewi Emrys yn well na neb am ormes y
danadl. Meddai wrth hiraethu am Gymru'n ystod ei gyfnod
afradlon yn Llundain:

> O ddrws Duw i ddyrys daith – yr euthum,
> Lle'm brathodd Anobaith;
> Gwybûm dlodi ffordd ddiffaith
> A niwl mawr yr anial maith.

Mi fûm yn crwydro efo fo am sbel. Ei wylio'n herio'r rhai a'i
gwrthododd, yn gloddesta mewn cystadlu, yn fawr ac
ymffrostgar yn y golau ac yn fychan, ansicir yn y niwl. A'i
gyfarch fel fy Nafydd ap Gwilym yn y gerdd a anfonais i
gystadleuaeth y Goron yn Eisteddfod Llanbedr Pont Steffan,
1978. Yr un oedd y llanc tragwyddol a'r gŵr anwadal, miniog
ei dafod sy'n cyfarch y '*ddihafal fun*' yn ei gerdd 'Yr Anwylyd':

> Aros, fy Mhrydferth, yn hir, yn hir,
> A balm dy wefus yn dofi clwy,
> A'th fardd ar goll ym mhellterau hud,
> Heb ofyn cysgod magwyrydd mwy.

Rydw i'n credu i minnau gael pwl o syrthio mewn cariad
efo'r Dafydd hwnnw, er imi gael fy siomi wrth ei weld yn
camu'n ôl i Biwritania, a galw arno i ddychwelyd:

heibio i'r gynau duon a'r drysau clo,
heb guro unwaith,
i wely mwsogl y meysydd.
Fy Nafydd a'th gywydd gwin
a nawdd hafau dy ddeufin,
cei'n heuliau temlau teimlad
gell gynnes y fynwes fad,
cell fydd yn hafan bellach
rhag traha pob Bwa Bach.

Efallai mai *Byd o Amser, 2 werth 6* (cyflwyniad Maureen Rhys a John Ogwen o waith chwe awdur) a *Gwreichion*, aeth ar daith i ddwy ar bymtheg o ganolfannau ledled Cymru, fu'n gyfrifol am ailgynnau fflam fy niddordeb i ym myd y ddrama. Ac yn ôl i'r byd hwnnw yr es i, nid fel awdures y tro yma ac nid fel actores, reit siŵr, ond fel cynhyrchydd eiddgar a chwbwl ddibrofiad. Er mai cwmni bach lleol oedd yn perfformio *Poen yn y Bol*, Gwenlyn Parry, fe enillon ni'r wobr a'r clod yng Ngŵyl Ddrama'r Odyn ym Metws-y-coed. Yn hytrach na'i gadael ar hynny, dyna benderfynu rhoi cynnig ar ddrama hir a mynd allan i'r priffyrdd a'r caeau o gwmpas Dolwyddelan a thu hwnt i chwilio am ragor o actorion. Daeth rhai o Benmachno, Melin y Coed a'r Blaena i ymuno â ni ac roedd eu gwir angen gan mai cyfieithiad o *Under Milk Wood*, Dylan Thomas oedd y dewis.

Fûm i fawr o dro cyn sylweddoli fod cyfieithiad gwefreiddiol Jim Parc Nest (argraffiad 1968) allan o'n cyrraedd ni a'r unig beth i'w wneud oedd paratoi cyfieithiad arall gan ddefnyddio tafodiaith yr oedd y cwmni, rhai ohonynt heb erioed gamu ar lwyfan, yn gyfarwydd â hi. Pentref bach yng ngogledd Cymru oedd Llareggub *Dan Gesail Bryn Llaethog* ac iaith y Gogs a siaradai'r trigolion. Un cyfyng iawn oedd y llwyfan a rhai o'r actorion mwyaf ffit yn gorfod mynd a dod drwy ffenestri. Wn i ddim be oedd yr actorion yn ei feddwl o'r cynhyrchydd, digon diamynedd ar adegau, ond rydw i'n credu iddyn nhw wneud andros o gamp dan yr amgylchiadau.

Daeth Edwin Williams, beirniad y ddrama hir yn Eisteddfod Genedlaethol Caernarfon, 1979, i wylio'r perfformiad yn neuadd yr ysgol a bu'n ddigon graslon i roi cyfle inni fynd ymlaen i berfformio ar lwyfan dipyn ehangach. Go brin fod y cyfieithiad brysiog wedi gwneud cyfiawnder â gwaith Dylan ond roedd y rhywbeth gwahanol hwnnw'n sialens ac yn hwyl tra parodd o.

Mae'n bryd i minnau ffarwelio â'r saithdegau a dweud, gan adleisio fy Eli Jenkins i:

> Cymysgedd ydym ni, o Dduw,
> sydd dan Fryn Llaethog yma'n byw;
> o bawb, y cyntaf fyddi Di
> i weld rhinweddau ynom ni.
>
> Rho inni oriau eto i'w byw
> a'th fendith arnom heno, Dduw.
> Plygwn i'r haul a'i gryfder o
> a dweud nos da – dim ond dros dro.

Ond nid 'nos da' dros dro oedd f'un i. Roedd trigolion pentref arall yn aros amdana i.

Un munud, doedd 'na mo'r fath rai â phobl Minafon yn bod. Y munud nesa, roeddan nhw'n ymddangos o un i un, yn crwydro o gwmpas y pentref, yn pwyso ar ganllaw'r bont, yn agor drysau neu'n swatio o'r tu ôl iddyn nhw. Dod i'w nabod nhw'n ara bach wnes i, codi'r caead oddi ar benglog a datgloi drws y galon er mwyn darganfod be oedd yn gwneud iddyn nhw dician. A'u cyflwyno ar ddechrau'r nofel *Mis o Fehefin* fel hyn:

Mae'r byd mawr y tu allan yn llawn helyntion a phroblemau a phoenau ond mae'r cyfan mor bell i ffwrdd fel ein bod ni'n cipio arnyn nhw fel drwy darth.

Onid oes gan bob un ohonom, yn ei fyd bach ei hun, ei helyntion a'i broblemau a'i boenau? Ac mae ceisio dygymod â'r rheini'n dwyn yr ychydig nerth sydd ynom. Eithriad ydi'r rhai sy'n gallu edrych allan. Mae llygaid y mwyafrif ohonom wedi eu hoelio ar ein libart cyfyng. A dydi pobol Minafon ddim gwahanol.

Stori am bobol gyffredin yn ceisio ymgodymu â'r hyn yr ydw i'n ei alw'n ddrafftiau'n ystod mis Mehefin arbennig ydi hon. Mae'n bosibl fy mod i wedi eu llethu â gofidiau ond fel yna yr o'n i'n gweld pethau ar y pryd.

Eu gadael i'w tynged wnes i – be arall allwn i fod wedi'i wneud? – a chynnig yr esgus yr ydan ni i gyd yn fwy na pharod i'w ddefnyddio er mwyn arbed ein crwyn ein hunain:

Wedyn, ymhen wythnosau, y daeth i feddyliau rhai ohonynt y gallai fod a wnelo'r storm rywbeth â'r cyffro a fu'n eu cerdded yn ystod y mis Mehefin hwnnw. A pheth braf wedyn, erbyn meddwl, oedd gallu beio'r storm. Wedi'r cyfan, roedd yn rhaid rhoi'r bai yn rhywle. Ac i'r rhai na allent feio'r storm, nid oedd dim amdani ond beio rhywun arall, fel arfer.

Cynnyrch diwedd y saithdegau ydi *Plentyn yr Haul* er mai yn mis Mai 1981 y cyhoeddwyd y gyfrol. Roedd un o destunau Eisteddfod Genedlaethol Caernarfon, 1979 wedi apelio ata i. Am stori bywyd unrhyw gymeriad diddorol y gofynnwyd ac i mi bryd hynny, Katherine Mansfield, y llenor o Seland Newydd, oedd honno. Ro'n i wedi bod yn darllen ei storïau byrion ac fe wnaethon nhw'r fath argraff arna i fel na fedrwn fyw'n fy nghroen heb gael gwybod rhagor amdani. A dyna fynd ati i gasglu'r ffeithiau yr oedd yn rhaid wrthyn nhw, yn cynnwys ei llythyrau a'i dyddiaduron hi. Mewn sgwrs radio flynyddoedd yn ddiweddarach, fel hyn y ceisiais i egluro'r berthynas a ddatblygodd rhyngom:

Felly y gwelais i hi, yn ferch synhwyrus, anniddig, yn unig a chreulon yn ei salwch, a'i gwanc am fyw'n ei gyrru o wlad i wlad i geisio gwyrth. Ro'n i'n teimlo i'r byw drosti wrth weld ei gŵr, John Middleton Murry, dyn academaidd, oer yn codi ei hances boced at ei wefusau pan fyddai hi'n pesychu, ac yn dychwelyd o Dde Ffrainc i Lundain at ei waith pan oedd arni fwyaf o'i angen. Ni allai Murry rannu ffydd Katherine y digwyddai gwyrth ac y câi iachâd. Ac ni fu i'r wyrth honno ddigwydd, wrth gwrs.

Bu Katherine farw yn bedair ar ddeg ar hugain oed. Ar ei charreg fedd ym mynwent Fontainbleau ceir dyfyniad o Shakespeare, yr un a ddewisodd hi ar gyfer tudalen flaen y stori 'Gwynfyd' – '*o'r danadl hwn, perygl, daw'r blodyn hwn, diogelwch.*'

O bob teitl, go brin imi ddewis un mwy awgrymog eironig na hwn. Nid ei ddewis wnes i, o ran hynny. Roedd o'n ei gynnig ei hun. Geiriau Katherine ydyn nhw; ei deisyfiad hi yn ei dyddiadur:

Beth ydi iechyd? Y gallu i fyw bywyd llawn, bywiol mewn cysylltiad agos â'r hyn yr ydw i'n ei garu – y ddaear a'i rhyfeddodau; y môr; yr haul. Rydw i eisiau bod yn rhan ohono; dysgu oddi wrtho fo. Rydw i eisiau bod yr hyn y mae ynof y gallu i fod; rydw i eisiau bod ... (ac yma rydw i'n oedi ac yn aros, ac aros, ond i ddim pwrpas – un ymadrodd sy'n gweddu) – rydw i eisiau bod yn blentyn yr haul.

A'r eironi mawr ydi na allai hi, wedi'i bwyta gan y diciáu ac yn marw uwchben ei thraed, byth fod yn blentyn yr haul.

23

Yn 1981, hefyd, yr ymddangosodd y gyfrol *Merch yr Oriau Mawr.* Ar gais Gwasg Tŷ ar y Graig y lluniais i honno, ond dim ond golygu a defnyddio sylwadau pobol eraill wnes i. Roedd cael dod i adnabod Dilys Cadwaladr drwyddyn nhw, ei theulu a'i chydnabod yn brofiad na fynnwn fod hebddo. Bûm yn crwydro'n helaeth, a Llew'n gwmni imi'n aml, i Frynrefail, Dinorwig, Beddgelert, Nantgwynant a Bangor, gan holi'n ddidrugaredd a mwynhau pob munud. Yr hyn sy'n aros gliriaf yn y cof ydi'r min nos ym Meddgelert a Huw Rhisiart Humphreys unwaith eto'n hogyn bach yn ysgol Nantgwynant, wedi gwirioni ar yr athrawes ifanc:

> Roeddan ni wrth ein bodda efo hi a phawb yn licio mynd i'r ysgol. Doedd 'na neb yn cymryd mantais arni hi; neb yn ddigwilydd efo hi. Roedd hi'n siarad efo ni am bob math o betha a ninna'n cael gofyn cwestiyna. Argol, mi oedd hi'n chwith i mi ar ôl iddi fynd. Hi oedd y ditsiar ora ges i rioed.

Cefais rwydd hynt gan y wasg i ddewis fy mhatrwm fy hun ac roedd hynny'n beth braf. Mae fy nyled yn fawr i Mair, merch Wil Sam, am fy rhoi i ar ben ffordd drwy ddidoli, trefnu a theipio gwaith Dilys. Bonws ychwanegol oedd cael cynnwys cerddi a storïau Dilys, nad oes fawr neb yn gwybod amdanyn nhw, a dyfyniadau o'i cholofn 'Taith yr Anialwch', a gyhoeddwyd yn *Y Cymro*.

Ar yr wyneb, mae'n ymddangos nad oes fawr ddim yn cydio Katherine a Dilys. Y ferch o Seland Newydd yn brwydro'n gyson yn erbyn salwch a'r hogan o Frynrefail cyn iached â'r gneuen, yn ei helfen yn gyrru tractor hyd gaeau Suntur, Rhoslan. Ond, wrth imi edrych yn fanylach, roedd y ddwy fel pe'n ymdoddi'n un. Cafodd y naill, fel y llall, brofi uchafbwyntiau bywyd, eu heiliadau tragwyddol, eu munudau a'u horiau cofiadwy, ond gwyddent, hefyd, am y siom a'r chwerwder sy'n dilyn y gwymp. Roedd cerdded y gwastadedd a chydymffurfio yr un mor anodd iddyn nhw ag i Ann Dolwar. Yn ei cherdd 'Y Gwcw', mae Dilys yn cyfeirio at y dynged sy'n peri iddi droi i'r dde ar y groesffordd, ond nid heb daflu golwg hiraethus tua'r chwith. Roedd i hwnnw gyffro'r anwybod. Mentrodd Katherine a hithau droi i'r chwith fwy nag unwaith, lle roedd y cyffroadau'n fwy llachar a'r siomedigaethau'n finiocach.

Cyffes bersonol iawn a gawn yn 'Taith yr Anialwch', a'r gri hon o'r galon yn bennaf ddaeth â Dilys a minnau'n nes fyth at ein gilydd:

Ar faes yr Eisteddfod yn Llanelli yn 1930, wynebwn argyfwng mwyaf fy mywyd. Daeth Emrys ataf ar ôl y cadeirio ac eisteddodd yn fud wrth fy ochr. 'Dere oddi yma,' meddai, yn y man. Yr oedd yn rhaid cael lle tawel rhag y dyrfa i geisio deall pethau a dygymod â'r ergyd a gawswn i

... Yna dywedodd yn dawel yn ei ffordd ddigyffelyb ei hun, 'Dere di, chei di ddim cam.' Ac er gwaethaf geiriau meddyg a hunllefau y nosau diwethaf, fe'm cysurwyd.

Tua'r Hydref, daethom at y groesffordd gyntaf. Yr oedd ffordd i'r dde a ffordd i'r aswy, y naill yn llyfn a didramgwydd a'r llall yn beryglus a throellog.

Er imi gael y pleser o gyfarfod Dilys a sylweddoli fy mod yng nghwmni merch arbennig, ni wyddwn ddim am y gyffes honno ar y pryd, a rhyw sgwrsio arwynebol a gochelgar fu rhyngon ni. Pe bawn i'n gyfarwydd â'r golofn, tybed a fyddwn wedi meiddio'i holi am ei pherthynas â Dewi Emrys, y bardd a'i galwodd yn 'ferch y mynydd a'r oriau mawr'?

A dyna deitl parod arall (a chynllun clawr effeithiol) yn gyfuniad o gerdd 'Yr Anwylyd' a'i geiriau hi mewn ysgrif i'r *Herald Cymraeg* yn 1953:

O bryd i bryd, yng nghwrs bywyd ar y ddaear, daw i bob un ohonom ei awr bêr ... Nid yw mesur yr oriau mawr ar wyneb cloc ac nid oes nod iddynt ar galendr. Digwyddant heb eu disgwyl ac nid wrth ein haeddiant y'n bendithir yn y fath fodd. Ernes tragwyddoldeb ydynt hwyrach, y munudau anfesur, gorfoleddus a'n cwyd yn uwch na llwch y llawr.

Fel un a ŵyr werth yr eiliadau cofiadwy, ac yn edmygydd o'r Crist sy'n llenwi'r gwacter ac yn dod â'r pell yn agos, mae yn 'Pantyfedwen', Rhys Nicholas dri gair sy'n crisialu'r cyfan i mi. Ceisio rhoi mynegiant i bwysigrwydd y *'blas ar fyw'* wnes i'n y gerdd 'Ti a Fi', ac yma, greda i, y mae lle honno:

Tyred, fy sant bach ofnus,
a rho dy law i mi.
Mae'r haul mawr aur yn addo
cyfoeth ei wres i ni.

Tyred o'r oerni llonydd
i ymladd berw'r gwynt;
cawn redeg ras ag amser
ac ni ŵyr heb ein hynt.

Cans yno nid oes oriau,
dim ond eiliadau gwyrdd
yn llawn o wefr ansicrwydd
a blas amheuon fyrdd.

Ac yna fe gei ddychwel
yn ôl i'th fyd, fel cynt,
o wres yr haul a'i angerdd
a chyffro taer y gwynt.

Ond daw, o bryd i'w gilydd,
ryw chwa o hiraeth mawr
am fyd sy'n mesur amser
wrth eiliad, nid wrth awr.

Gresynu yr oedd Marged Dafydd yn ei hadolygiad hi
oherwydd yr oriau coll ym mywyd Dilys. Byddwn innau
wedi hoffi eu cynnwys ond cefais fy ngwahardd rhag dilyn
rhai llwybrau. Gwrthododd ambell un gyfrannu a thynnodd

eraill yn ôl, er addo, yn cynnwys Dwynwen, merch Dilys a Dewi. Nid oedd gen i ond gobeithio y deuai'r darllenydd o hyd i'r cliwiau a blannwyd yma ac acw. Gall yr hyn a awgrymir fod mor ddadlennol â'r hyn sy'n cael ei ddweud weithiau.

24

Gan fod y dyddiadau'n un cawdel yn fy mhen, y peth gorau alla i ei wneud ydi galw'r wythdegau'n ddegawd *Minafon*. Dechreuodd y cyfan efo un alwad ffôn a gŵr o'r enw Alan Clayton yn holi a oedd gen i ddiddordeb mewn addasu *Mis o Fehefin* ar gyfer y teledu. A minnau, mor awyddus ag arfer i wynebu unrhyw sialens newydd, yn ateb, 'Oes.'

Pan ddigwyddais ddod o hyd i ddyddiadur 1982, bu gweld sawl cyfeiriad at ddiffyg amser ac ymyrraeth pethau eraill yn dipyn o sioc. Mae'n amlwg nad oedd bod yn wraig tŷ ac awdur yn gydnaws ar adegau. Ond bwrw ymlaen wnes i, beth bynnag, a rhoi cyfle i bobol Minafon, Trefeini gamu o'r llyfr i'r sgrin fach. Mae ambell un yn cofio her Richard Powell i'r trigolion – *Dechreuwch grynu'r diawliaid, mae Pŵal yn 'i ôl* – a rhai'n dal i holi a oes cyfres arall i fod. Mi fyddwn i wrth fy modd o gael dychwelyd yno, ond, a byd y teledu wedi newid cymaint, fel popeth arall, go brin y digwydd hynny.

Gan mai mewn pobol a'u perthynas â'i gilydd y mae fy niddordeb i a bod cryn lawer o sgwrsio yn *Mis o Fehefin*, digwyddodd fy nghamu o'r nofel i'r sgrin yn naturiol a diffwdan. Fy mwriad pennaf oedd rhoi darlun o gymdeithas fechan er mwyn amlygu'r gwendidau a'r rhinweddau sy'n gynhenid ynom oll. Oedd, yr oedd yno dristwch, ond roedd yno, hefyd, y cariad a'r gofal sy'n deillio ohono. Ro'n i am i'r gwylwyr ddod i'w nabod, eu deall, a chydymdeimlo â nhw'n fwy na dim.

Er i'r gyfres gyntaf gael croeso brwd, ymateb anffafriol a gafwyd gan ddau feirniad yn ystod trafodaeth ar y teledu. Os ydw i'n cofio'n iawn, cwyno yr oeddan nhw ei bod hi'n rhy ddigalon a chlawstroffobig. Roedd peth bai ar y cynnwys, wrth gwrs, ond gan ei bod wedi ei ffilmio ym mhentref Trefor a'r trigolion wedi cytuno i roi benthyg eu tai dros dro, gofod cyfyng iawn oedd gan y criw; mor gyfyng fel bod gofyn i'r dyn camera orwedd ar ei fol ar ben wardrob er mwyn gallu saethu un olygfa.

Gallai'r sylwadau hynny fod wedi rhoi'r farwol i'r gyfres ond, er y siom, bu'r feirniadaeth negyddol o fudd i mi. Pan ddaeth yr ha' bach i Finafon, roedd pethau wedi ysgafnu gryn dipyn a chymeriadau eraill wedi dod i ymuno â'r rhai gwreiddiol. Cymerodd Ffilmiau Eryri drosodd a daeth bywyd newydd i'r gymdeithas. Bûm am sbel go hir cyn hynny heb wybod be oedd yn mynd i ddigwydd ac yn credu'n siŵr fy mod wedi ffarwelio â phobol Minafon am byth. Ond ro'n i eisoes wedi ysgrifennu nofel yn ddilyniant i *Mis o Fehefin*, rhag ofn.

Taith ddigon dyrys fu honno, o nofel i gyfres, o gyfres i nofel, ac o nofel i gyfres. Pan gyhoeddwyd *Ha' Bach* yn 1983, roedd anawsterau o safbwynt ffilmio wedi 'ngorfodi i newid rhai rhannau ohoni. Ni fu dilyniant arall, ond datblygodd y cyfresi nes cyrraedd dros hanner cant o benodau.

Y drafftiau plagus a'r gwynt bygythiol a geir yn *Mis o*

Fehefin; pobol yn ceisio ymdopi â bywyd orau y medran nhw, weithiau'n llwyddo i oresgyn eu problemau ac weithiau'n cael eu llorio ganddyn nhw. Prif thema *Ha' Bach* a'r cyfresi a ddilynodd ydi celwydd a thwyll. I Gwen Elis, *llwynog o beth ydi ha' bach*. Gwyddom oll am dwyllwyr, hoffus gan amlaf, fel Dic Pŵal sy'n gwirioneddol gredu eu celwyddau eu hunain. Ac onid ydi Dei Elis ac Emma Harris, ymysg eraill, yn llwyddo i guddio'u gwendidau drwy daflu'r bai ar rywun arall?

Drama gyfres oedd *Minafon*, nid opera sebon. Tuedd operâu sebon ydi canolbwyntio ar un stori am gyfnod maith (rhy faith weithiau) gan anwybyddu'r cymeriadau eraill. Ond mae'r ddrama gyfres yn dilyn stori pawb, o un bennod i'r llall, ac oherwydd hynny'n rhoi darlun llawnach o'r gymdeithas. Ro'n i am wybod be oedd yn digwydd iddyn nhw i gyd, ac am i'r gwylwyr gael gwybod hefyd.

Yn y cylchgrawn *Llais Llyfrau*, Hydref 1988, dyma un o'r cwestiynau a ofynnodd Islwyn Ffowc Elis, y golygydd, imi:

Beth, yn eich profiad chi, yw'r prif wahaniaethau rhwng sgrifennu drama gyfres deledu a sgrifennu nofel? Ydi'r naill yn haws na'r llall?

A dyma f'ateb innau, o'r ychydig brofiad oedd gen i:

Er eu bod nhw'n wahanol o ran ffurf allanol, fyddwn i ddim yn dweud fod un yn haws na'r llall. Mae rhywun, wrth ddarllen, yn gallu symud ymlaen yn ei amser ei hun, a throi'n ôl os bydd galw. Cyfrwng gwibiog ydi'r teledu, yn gofyn am glust fain oherwydd fod gan bob un ohonom ei rythm arbennig ei hun wrth siarad.

O safbwynt ymarferol, mae ysgrifennu ar gyfer y teledu yn hawlio cynllunio manwl iawn. Rhaid llunio crynodeb o'r gyfres gyfan i ddechrau, yna'i rhannu'n benodau a'r penodau'n olygfeydd. Er y gall y gwaith paratoi fynd yn dipyn o fwrn ar adegau pan mae rhywun yn ysu am ddechrau sgrifennu, byddai perygl i'r cyfan fynd ar ddisberod hebddo. Y cyllunio manwl yma ydi asgwrn cefn y gwaith.

Roedd, ac mae, gen i feddwl y byd o'r hogyn drwg hwnnw, Dic Pŵal, ac edmygedd mawr o Beryl Williams (Gwen Elis) ac Elen Roger (Hannah Mary). Diolch i Sue a Dyfan, Grey, Iris, Clive, Olwen a Trefor a'r lleill i gyd, heb anghofio'r criw cynhyrchu, am ddod â'r cyfan yn fyw ar y sgrin. Peth sobor o anodd oedd dweud 'ta ta' wrthyn nhw.

25

Dros y blynyddoedd, bûm yn llunio degau o raglenni ysgolion a sgyrsiau ar gyfer y radio. Mae'r rhan fwyaf ohonyn nhw wedi mynd ar ddifancoll erbyn hyn ond roedd pob un yn bwysig imi ar y pryd. Bu ysgrifennu ar gyfer y radio, gan ei fod yn gofyn disgyblaeth lem ac yn dibynnu bron yn llwyr ar y defnydd o eiriau, yn werthfawr iawn. Gwelodd rhai o'r sgyrsiau olau dydd rhwng cloriau *Seren Wib* yn 1986, ac yn eu sgil amrywiaeth o ferched.

Dorothy Parker, y bardd a'r llenor, allai wneud i bobol waedu'n gyhoeddus â chwip ei thafod ond a waedai'n breifat rhag i neb fod yn llygad-dyst i'w thristwch a'i hansicrwydd. Yr Enid Blyton hunanol a diamynedd y cefais i gymaint o flas ar ei llyfrau, oedd, yn ôl un beirniad, yn meddwl fel plentyn ac yn ysgrifennu fel plentyn. Y chwiorydd Brontë wedi cael eu claddu'n fyw yn eu tŷ ymysg y beddau ac yn gorfod defnyddio'r enwau gwrywaidd, Acton, Currer ac Ellis Bell er mwyn cael cyhoeddi eu llyfrau. A'r fam fechan, falch y cafodd ei chariad gormesol effaith andwyol ar ei mab, D. H. Lawrence.

Do, fe fuon ni'n ymweld â'r mannau hyn i gyd, ar wahân i Efrog Newydd, yn ein cartref ar olwynion, a'r gweld yn agoriad llygad bob tro. Ond y profiad o dreulio penwythnos yng Nghanolfan y Dyffryn oedd yr un mwyaf ysgytwol o'r cwbwl. Yno y teimlais i'r ofn a roddodd fod i'r sgwrs *I lawr ymysg y merched*.

Cynhadledd wedi'i threfnu gan Gyngor y Celfyddydau oedd hi, fel rhan o'r dathliadau i groesawu Margaret Atwood, y llenor o Ganada, i Gymru. Dydw i erioed wedi gallu teimlo'n braf yng nghanol criw, yn arbennig criw o ferched. A dyna lle roeddan nhw, pan gyrhaeddais ar y nos Wener, bron i gant ohonyn nhw. Fe fu ond y dim imi â rhuthro'n ôl am y car a gyrru, nerth olwynion, mor bell ag y gallwn i o'u cyrraedd. Ond doedd gen i'm dewis ond ceisio dygymod gan mai yno i gymryd rhan yr o'n i, a hynny ar y bore Sul ar yn ail â Fay Weldon, y cefais flas arbennig ar ei nofelau cynnar.

Ar y ffordd adra'n y car, rywle tua Llanbrynmair, dyna fo'n fy nharo i'n sydyn mor addas oedd teitl un o'i nofelau, *Down Among the Women*, i ddisgrifio'r gynhadledd. Ac yn ôl yn fy lle diogel fy hun, mi es ati i ryw lun o barodïo rhannau ohoni:

I lawr ymysg y merched. Dyna le i fod! Ac eto, yma yr ydan ni am ein bod ni'r hyn ydan ni – cynnyrch yr asen sbâr. Wedi'n creu, a chymryd ein bod ni'n derbyn hynny, o un asgwrn. Braidd yn sarhaus, yntê? Ac eto, o lwch y crëwyd Adda. Mae yna dipyn gwell gafael mewn asgwrn.

I lawr yma ymysg y merched, does yna ddim gorfodaeth. Yn y gwlâu sengl, mewn cynfasau gwynion sy'n clecian wrth i chi lithro rhyngddyn nhw, ni piau ni. Yn yr ystafell fwyta lle nad oes raid ond bwyta, ac ymwrthod â'r llestri budron, ni piau ni. Yn y bar, lle gallwn ni yfed cyn lleied neu gymaint ag y mynnwn ni, heb ofni na dannod na dig, ni piau ni. Y fath wynfyd.

Y fath wynfyd ydi cael bod yn wyryfol lân, heb unrhyw ymdrech, o bennau bysedd i flaenau bodiau. Wele'r lleianod llenyddol. Welwch chi'r ymennydd-rhydd-o-gaci-mwnci-o-ofalon yn sgleinio nes bygwth eich dallu? Glywch chi sŵn y taro wrth i feddwl finiogi meddwl? Welwch chi'r dynion — hynny sydd yna ohonyn nhw — yn swatio? Peth creulon oedd dod â nhw yma. Biti na fyddai yna ragor ohonyn nhw.

Does yna ddim all sefyll yn ein llwybr. Ni piau ni. Ni piau'r byd. Y mae unrhyw beth yn bosibl i lawr yma ymysg y merched.

Dydw i ddim yn ei chael yn hawdd gwneud ffrindiau newydd. Un ffrind go iawn o ferch fu gen i ac ergyd greulon oedd ei cholli. Hi oedd yr un y gallwn fod yn rhydd yn ei chwmni, drwy siarad lol a synnwyr a chytuno i anghytuno. Mae arna i ofn mai rhai dan din a chynllwyngar ydi'r rhelyw o ferched a'u gwên deg â chelwydd dani'n aml iawn. Dim rhyfedd fod arna i eu hofn nhw / ein hofn ni.

Ar y cyfan, mae dynion yn fwy gonest, agored ac yn rhy ddoeth, neu'n rhy ddioglyd-ddifalio efallai, i drafferthu cymryd arnynt. Gan nad ydyn nhw mor hunanymwybodol â'r merched ac yn brin o'r wên deg, fe all rhywun ymlacio'n eu cwmni a bod yn eitha siŵr y bydd y cyfrinachau bach a rannwyd yn aros felly. O, oes, mae 'na eithriadau, wrth gwrs, ac mi wn i am sawl llwynog sy'n ddigon cyfrwys i wybod mai'n ara deg a phob yn dipyn mae dal iâr ... a gwybedyn. Mae 'na ddynion gormesol, treisgar sy'n credu fod yr haul yn codi ac yn machlud efo nhw ac mae 'na ferched sy'n derbyn hynny ac yn barod i ddotio arnyn nhw, ymladd drostyn nhw, wylo amdanyn nhw, ildio iddyn nhw. Tybed a fyddai pethau'n wahanol petai Adda wedi cymryd y brathiad cyntaf o ffrwyth y pren gwybodaeth?

Yn ôl yn yr wythdegau, ro'n i'n barod iawn i amddiffyn Efa yn y sgwrs *Ein mam ni oll*:

Rhyw Flodeuwedd o eneth oedd hi, wedi'i chreu nid o flodau ond o asen Adda, heb 'wraidd na daear ymysg dynion' na 'dim un bedd a berthyn iddi'. Merch 'heb gydwybod, dim ond anadl'. Pa ryfedd i'w rhyddid yn yr ardd droi'n benrhyddid? A phan gynigiodd hi'r ffrwyth i Adda a fu i hwnnw wrthod ei fwyta? O, naddo.

Ond er na alla i beidio teimlo tosturi tuag ati, pam y dylwn i ei hamddiffyn a hithau wedi cynhyrfu Duw i ddweud:

Gan amlhau yr amlhaf dy boenau di a'th feichiogi; mewn poen y dygi blant, a'th ddymuniad fydd at dy ŵr, ac efe a lywodraetha arnat ti.

Ydw i'n credu mai felly y digwyddodd pethau? Ydw, ac yn derbyn sawl stori Feiblaidd arall, er na allwn i haeru fel Nansi Wiliam Tŷ'n y Ffynnon, Dolwyddelan pan ofynnodd rhywun

iddi a oedd hi'n credu i Jona fod ym mol y morfil, 'Ydw siŵr, a tasa'r Beibil yn deud i'r morfil fod ym mol Jona, mi faswn i'n credu hynny hefyd.' Ond rydw i'n dal i allu tystio, yr un mor bendant heddiw, fod y Beibl yn llyfr rhyfeddol:
Cymharwch chi gofiannau'r ganrif ddiwethaf (y ddiwethaf ond un erbyn hyn) a rhai mwy cyfoes, efo hwn. Nid seintiau gewch chi yn Llyfr y Bywyd, mor blagus o dda nes eu bod nhw'n peri i chi deimlo'n rhidyll o feiau, ond pobol go iawn, yn gwylltio ac yn rhampio, yn twyllo ac yn dinistrio. Mae o'n orlawn o fywyd, o ddrama fawr y Creu i weledigaethau erchyll Ioan.

Mae Duw creulon, dialgar yr Hen Destament yn gymaint o ddirgelwch imi heddiw ag oedd o yn nyddiau Maenofferen. Ac eto, rydw i'n ei chael yn anodd derbyn atodiad Crist i ddeddf Moses. Yn sicir, mae rhywbeth annynol yn y weithred o grogi a phwy, yn ei lawn synnwyr, fyddai'n chwennych swydd dienyddiwr? Ond petai'r un a ddioddefodd yn berthynas neu'n ffrind, sawl un ohonon ni allai lynu wrth egwyddor 'troi'r foch arall'?

Fûm i erioed yn berson cymdeithasol, nac yn aelod brwd o unrhyw glwb na mudiad, gan nad ydi'r byd hwnnw a'r byd sgwennu'n gymharus. Efallai fod rhai awduron yn llwyddo i gyfuno'r ddau ond ro'n i wedi gwneud fy newis o'r dechrau, a hynny o wirfodd. Rydw i wrth fy modd yn siarad a thrafod, un wrth un, neu mewn cylch bychan, er fy mod i'n ei chael yn anodd ymdopi pan nad oes unrhyw ymateb i'w gael.

Fedra i ddim dygymod chwaith â'r rhai sy'n dweud yr hyn

maen nhw'n meddwl yr ydach chi am ei glywed ac yn rhoi tafod i'r ystrydebau arferol nad ydyn nhw'n golygu dim. Mae'n siŵr fy mod i'n rhy barod i adael i'r teimladau frigo i'r wyneb ac i ddweud a dadlennu gormod. A dyna fi wedi gwneud yr un camgymeriad eto fyth! Chwarae â thân ydi bod yn rhy onest. Ond un fel'na ydw i, a dydw i ddim yn debygol o newid bellach.

Clawr digon od sydd i *Cymer a Fynnot*, y bedwaredd gyfrol o storïau byrion, wedi'i fwriadu i gynrychioli'r llygad, neu lygad y camera, efallai. Er fy mod i'n diolch ar y dechrau i'r BBC am ganiatâd i gynnwys y storïau a ddarlledwyd, does gen i mo'r syniad lleiaf pa rai oeddan nhw. Ond rydw i'n credu ei bod yn bryd i mi sefyll yn ôl am y tro a gadael y dweud i Delyth George yn *Barn*, Tachwedd 1988:

Da yw canfod y fath amrywiaeth techneg, sefyllfa a chymeriadaeth yn y gyfrol fer gyforiog hon. Rhed arwyddocâd ei theitl yn llinyn pryfoclyd drwy'r gyfrol wrth i ni dreiddio i feddwl a theimlad tapestri amrywiol o bobl sydd wrthi'n dewis a dethol o blith yr hyn sydd gan fywyd i'w gynnig iddynt.

Mae'r stori gyntaf, 'Dyma Siân a Gareth', yn un ingol afaelgar am gymeriadau a wnaeth gamgymeriadau ac sydd bellach yn talu'r pris, er yn esgus fod y byd yn eu trin yn dda.

Mae pwysigrwydd ymdrech yr unigolyn a methiant pobl i gyfathrebu â'i gilydd yn llwyddiannus yn hyglyw unwaith yn rhagor.

O, ydi (a dyma fi'n ymyrryd eto!), mae o yma. A'r drafftiau'n ogystal, y twyll a'r celwydd, a'r hunan-dwyll yn fwy na dim. Dihareb Sineaidd ydi 'Cymer a fynnot, medd Duw, a thâl amdano'; un y gall cymeriadau'r storïau byrion hyn, fel ninnau, dystio i'w gwirionedd. Mae pob un ohonynt, yn Siôn a Siân a Sionyn, cariadon, cyfeillion a chydnabod, yn ymateb i bob sefyllfa yn ei ffordd unigryw ei hun, rhai'n gweld y mwd a rhai'n gweld y sêr. Roedd yn well gan Llew y storïau cynnar, ond, o gael cip ar y gyfrol unwaith eto, rhyddhad i mi ydi sylwi fod y dylanwadau a fu wedi diflannu a'r cymariaethau wedi eu dogni.

A'r plant, nad oeddan nhw'n blant bellach? Beth amdanyn nhw? Cafodd Sioned sawl gwobr yn eisteddfodau'r Urdd – am gyfansoddi, nid am adrodd – cyn gadael am Fangor a'r coleg lle treuliais i bedair blynedd nad oeddan nhw'n 'feddwol', a dweud y lleiaf. Yn Eisteddfod Nedd ac Afan, 1983, enillodd y Gadair am ei cherdd 'Y Wawr'. Yr hyn a'm plesiodd i'n fwy na dim oedd sylw'r beirniad, W. Rhys Nicholas, 'Mae'n fardd sy'n ymfalchïo yn ei gelfyddyd ac yn ymwybod â gwerth geiriau.'

Erbyn ail hanner yr wythdegau roedd hi wedi cartrefu ym Methesda a Lluest, a fu mor llawn unwaith, wedi'i fylchu. Rhoesai Urien ei fryd ar fod yn adeiladydd a Gwydion ar fod yn ffotograffydd. Ond er bod y deunydd yn amrywio, yr un yn ei hanfod ydi'r wefr a'r pleser o allu dweud am stori neu gerdd, adeilad neu ddarlun – fi ddaru greu hwnna.

26

Mi fedrwn i daeru, o edrych yn ôl, fod yna fwy o oriau yn nyddiau'r saithdegau a'r wythdegau. Ninnau'n gwneud yn fawr o bob munud a'r gwaith, o'i rannu, yn fwynhad. Er na fedrais i erioed ddygymod â'r label 'gwraig tŷ', do'n i ddim, fel Simone de Beauvoir, yn ystyried hynny'n benyd nac yn artaith:

Few tasks are more like the torture of Sisyphus than housework, with its endless repetition: the clean becomes soiled, the soiled is made clean, over and over, day after day … The battle against dust and dirt is never won.

Ond penyd oedd gorfod aros i mewn ar dywydd braf. I mi, does yna'r un cyffur i'w gymharu â'r haul. Oni bai am y ddisgyblaeth yr ydw i wedi'i gorfodi arnaf fy hun yn ystod diwrnod gwaith, mi fyddwn allan efo fo o fora tan nos.

Fe aethon ni ati'n fuan ar ôl symud i Lluest i addasu darn o gae yn ardd lysiau. A chlamp o ardd oedd hi hefyd. Llew fyddai'n gwneud y rhan fwyaf o'r palu, ein dau yn plannu, a minnau'n chwynnu. Pleser oedd hynny, nid gorchwyl, er bod y frwydr honno, hefyd, yn un na ellid ei hennill. Yno, yr haul ar fy ngwar a'r pridd cynnes yn hidlo rhwng fy mysedd, roedd pob buddugoliaeth fach yn achos dathlu a minnau fel yr hogan fach yng ngweithdy Dad yn gallu credu fod yna'r fath beth â hud a lledrith.

Nid oedd raid imi fodloni ar gath a bwji bellach gan fod yn Lluest ddigon o le i gŵn a cheffylau. Wn i ddim be ddaeth o'r lluniau a dynnodd Sioned o Nel Gwyn, y sbaniel Brenin Siarl, ac Efa Gwyn ei merch, yng nghastell Dolwyddelan, wedi'u gwisgo fel Llywelyn Fawr a Siwan. Roedd yna luniau, hefyd, o Nel yn eistedd ar sêt y toiled yn darllen papur newydd dros ei sbectol, ac yn tynnu peint yn y Gwydyr. Rhai cartrefol iawn oedd Nel ac Efa, ond roedd angen libart ehangach ar y ddau ferlyn, Pwyll a Becca, a mwy o libart fyth ar Prins.

Byddai Becca'n gorwedd yn y cae isa â'i phen ar lin Urien ac yn ei ddilyn i'r tŷ o dro i dro. Roedd y ddau'n fêts mawr ac yn diflannu'n aml ar garlam i fyny i'r mynydd, a hynny heb na chyfrwy nac afwyn. Ond mynd drot drot fyddwn i ar Prins ac encilio i'r goedwig rhag i neb fod yn dyst pe digwyddai rhyw anffawd. Roedd o dipyn mwy na fi a gofod helaeth rhwng ei gefn a'r llawr. Ches i'r un codwm, drwy lwc. Rhyw ryfyg gwirion oedd o, erbyn meddwl, ond antur i orchestu ynddi ar y pryd. Fentra i ddweud ein bod ni i gyd angen ymddwyn yn anghyfrifol o dro i dro? Wel ... rhai ohonon ni beth bynnag.

Fe wnaethon ni ddefnydd o'r cwt ieir yn yr ardd gefn dros dro. Rhai cwerylgar iawn oedd Cai a Matholwch, y ddau geiliog, a chriw mympwyol a llanestog tu hwnt oedd yr ieir. Er i ni glipio'u hadenydd a cheisio'u cadw o fewn eu libart hwythau, roedd yr ardd yn ormod o demtasiwn. Bu'n rhaid dewis rhwng honno a'r da (nid mor dda) pluog, a'r ardd a orfu. Welais i mo'u colli, ond roedd yn chwith inni heb yr wyau oedd yn blasu gymaint gwell na rhai siop.

Ar y cyntaf o Ebrill 1988, cyrhaeddodd Tomos, hogyn bach Sioned a Russell. Y teulu o bump bellach yn chwech a Llew a fi'n daid a nain balch, canol oed ifanc! Roedd Llew wedi symud, yn dilyn y newidiadau mewn llywodraeth leol, o Lanrwst i Gonwy a Llandudno a minnau'n dal ati i sgwennu ... a sgwennu.

27

Pobol gig a gwaed, nid cymeriadau dychmygol, a geir yn *Llygad am Lygad* a gyhoeddwyd yn 1990; rhai oedd wedi cymryd, a thalu am hynny. Dyma'r cwestiynau a ofynnais i'n y pwt broliant ar glawr y gyfrol:

Pwy oedd y gŵr a grogwyd er iddo fethu cyflawni'i fwriad a'r gŵr na chafodd ei grogi er iddo lwyddo i'w gyflawni? Pam y bu i'r eneth fach o Lŷn aberthu'r unig beth o werth a fu ganddi erioed? Am bwy y gwisgwyd amdo ar ddydd ei phriodas? Beth oedd gwerth y geiniog? Pa gyfrinach a ddatgelwyd oherwydd merch fach a changen gollen, a pha gyfrinachau sy'n llechu ger y Graig Ddu a Cherrig y Pryfaid?

Er mwyn cael yr atebion, bûm yn treulio oriau mewn llyfrgelloedd ac archifdai yn chwilio drwy doreth o bapurau newydd, ac yn crwydro gogledd Cymru, Llew yn fy helpu i holi a stilio a Gwydion yn brysur efo'i gamera. Eisiau gwybod yr o'n i'n fwy na dim beth oedd wedi achosi i'r wyth groesi'r ffin denau honno sydd rhwng y peidio a'r gwneud. Cael ateb i'r *pam* oedd yn bwysig. Peth cwbwl annheg ydi barnu heb wybod y ffeithiau a chollfarnu heb geisio deall. Mae'r ffin mor ddychrynllyd o fregus a'r gras ataliol mor brin fel nad oes angen ond un cam i'w chroesi. Er bod rhai o'r hanesion yn ddigon erchyll, yr hyn a ddeuai i'r amlwg, dro ar ôl tro, oedd tlodi affwysol pob un ohonyn nhw. Ia, wn i nad ydi hynny'n eu hesgusodi, a'i bod yn anodd cydymdeimlo weithiau. Efallai y bydd y gyffes fach hon o *Dylanwadau* yn egluro nad pregethu a moesoli oedd fy amcan i:

Dim ond dangos pobol yn eu dillad Sul a'u dillad gwaith; yr angel pen ffordd a'i diawl pen pentan. Ceisio deall sut mae'r meddwl cymhleth yn gweithio; agor drws y galon i ddilyn trywydd y teimladau sy'n corddi ym mhob un ohonom – gobaith, siom, uchelgais, anobaith, cariad, casineb, cenfigen, dicter, tosturi.

'Ceisio' ydi'r gair allweddol yma. Feiddiwn i'm dweud 'fel hyn y mae hi'. Yr unig beth alla i ei wneud ydi darlunio bywyd fel yr ydw i'n ei weld a gadael i'r darllenydd dderbyn neu anghytuno. Dyna pam ei bod bron yn amhosibl rhoi ateb i'r cwestiwn, 'I bwy yr ydach chi'n ysgrifennu?' I bobol fel fi sy'n holi er mwyn ceisio deall efallai, pobol sy'n ymbalfalu'n y niwl, yn darganfod eu hunain weithiau ac yn colli golwg arnynt eu hunain dro arall. Ond pe bawn i'n gwbwl onest, mae'n debyg mai i mi fy hun fyddai'r unig ateb posibl.

Mi wnes i fwynhau'r ymchwil er iddo fynd â chymaint o amser. O'r wyth, y ddau sy'n dal yn fyw iawn yn y cof ydi Mary Jones ('Elen fwyn') a Cadwaladr Jones ('Gwlad y menyg gwynion').

Un o'r Brithdir oedd Cadwaladr. Rhoddodd y llythyr a anfonodd at gaplan carchar Dolgellau gryn ysgytwad imi:

Annwyl Syr – Ysgrifennaf attoch i'ch hysbysu fy mod yn cydnabod cyfiawnder y gyfraith tuag ataf. Yr wyf yn wir ofidus fy mod wedi dwyn y fath boen arnaf fy hun ac ereill. Maddeuaf i bawb, a gobeithiaf y gwna pawb yr unrhyw a minau; ac os caf nerth digonol i fyny i'r diwedd, gobeithiaf y caf Iesu Grist fel Ceidwad i mi. Amen.

Fe'u cosbwyd i gyd, yn ôl trefn y gyfraith. Cafodd Mary, a orfodwyd, oherwydd amgylchiadau, i aberthu'r unig beth o werth a fu ganddi erioed, ei halltudio i Wlad Van Diemen a Cadwaladr ei grogi yn Nolgellau. Ond mae rhyddid i bob un ohonom benderfynu drosom ein hunain a oedd y llygad am lygad yn gyfiawn ai peidio.

Pan fyddwn i'n ymweld â gwahanol gymdeithasau i drafod fy ngwaith, roedd clywed fod gen i'r fath ddiddordeb mewn drwgweithredwyr a llofruddion yn peri dychryn i rai. Wn i ddim be fyddai eu hymateb pe bawn i wedi sôn am y ddrama lwyfan, *Auf Wiedersehen*, a sgrifennais i rywdro'n y saithdegau ar gyfer cystadleuaeth dan nawdd y Cwmni Theatr. Dianc oddi yno nerth eu traed, debyg.

Y ddau brif gymeriad yn honno oedd Myra Hindley ac Ian Brady, llofruddion y rhostir. Yr un oedd y cymhelliad a'r ymdrech i geisio ateb i'r pam. Gan fod yr hyn wnaethon nhw y tu hwnt i grediniaeth, methiant fu hynny. Yn ôl yr ystadegau, y genynnau treisiol sy'n gyfrifol am un o bob deg o droseddau difrifol. Dywed yr arbenigwyr fod y seicopath yn dioddef o anhwylder diffyg empathi ac nad oes neb yn cael ei eni'n ddieflig. Ni ddylem eu pitïo, meddan nhw, dim ond ceisio'u deall. Ond dydw i ddim yn credu eu bod hwythau, chwaith, wedi llwyddo.

Bu'r ysfa i olrhain perthynas Hindley a Brady yn drech na fi, fodd bynnag. Datblygodd y Myra nad oedd hi'n fawr neb ar y dechrau i fod â rhan allweddol yn y cynllwynio. Mae hanes wedi profi pa mor gryf ac ystrywgar oedd hi. Am weddill ei hoes, bu'n brwydro i adennill ei rhyddid, gan herio pawb. Mewn adroddiadau'n ddiweddar, honnir iddi gael perthynas â Rose West yng ngharchar Durham. Ffrae ynglŷn â pha un ohonynt oedd fwyaf enwog fu diwedd hynny. Dynes beryglus oedd Hindley, yn ôl West, ac ni allai ymddiried ynddi. Dau bry oddi ar faw yn dadlau pwy gododd uchaf!

Gan fod y tystion yn dal ar dir y byw, penderfynodd Wilbert Lloyd Roberts ofyn cyngor cyfreithiol, ac mewn canlyniad i hynny ni chafodd y ddrama ond darlleniad preifat. Mae'n bryd i minnau ffarwelio â'r ddau, nid ag *auf wiedersehen* yn sicir, ond â dyfyniad o'r gerdd 'Hawl i Fyw', sy'n tanlinellu'r gagendor rhwng Myra Hindley a Ruth Ellis, y ferch yr ydw i'n argyhoeddedig iddi gael ei chrogi ar gam. Un a fu'n gofalu am Myra ac yn gwarchod Ruth yn ystod ei dyddiau olaf sy'n siarad yma:

> Ond heddiw ar sgrin
> gwelais wyneb herfeiddiol un
> y rhoddwyd iddi gan ddeddf gwlad
> yr hawl i fyw
> a llunio'i hangau ei hun.

O, do, mi wnes yr hyn a allwn
iddi hithau.
Bûm dyst o'i holl ystrywiau
i hawlio'i rhyddid
gan geisio dileu'r cof
o urddas tawel
y ferch na fynnai bardwn

Gorau po leiaf ddweda i am y ffilm *O.M.* a deledwyd nos
Nadolig, 1990. Bu'r cydweithio hapus ar gyfresi *Minafon* yn
rhan hanfodol o'u llwyddiant. Yn anffodus, i'r gwrthwyneb
y digwyddodd pethau'r tro yma. Ni fedrwn, o ran egwyddor,
gytuno â rhai syniadau, a'r diwedd fu imi dynnu fy enw oddi
ar y sgript. Dyna'r unig dro erioed imi orfod gwneud hynny.
Fel addasiad o'm sgript i y cafodd ei chyflwyno. Mae'n llawer
gwell gen i gofio'r daith i Rydychen yng nghwmni difyr
Hazel Walford Davies, sy'n awdurdod ar O.M., a'r profiad
amheuthun o wrando'r clychau'n canu.

Yn ôl yr es i, gan fwrw'r siom o'r neilltu, i addasu tair o
storïau *Llygad am Lygad* ar gyfer y teledu. Gareth Lloyd
Williams, Ffilmiau Llifon, oedd yn cynhyrchu ac fe blesiodd
y gwaith sawl un, yn fy nghynnwys i. Ymysg y torion, ceir
ymateb Maldwyn Thomas ar Radio Cymru. Mae'n canmol
gwaith camera campus Dafydd Hobson, goleuo celfydd
Richard Bradley, a dawn artistig Gareth. Bron na ellir dweud
fod ei sylwadau ar y gyfres yr un mor ddramatig â'r hanesion
eu hunain. Meddai am *Pwy rydd i lawr*, stori'r ddau John
Elias, y tad a'r mab o Fôn:

Mae Stewart Jones yn portreadu rhyw hen ffarmwr yn fan'no – mae o'n fwaog fygythiol, fatha rhyw arth gyntefig o gwmpas yr iard. Dach chi'n gwybod yn iawn ei fod o'n drewi'n sylweddol o dan ei geseiliau, ac yn ei lwynau ac ym mhob man – dach chi'n gwybod ei fod o'n ddyn annymunol i fod yn agos ato fo ... Mae 'na realiti.

Roedd cael gwybod iddo haeru nad oedd y gyfres, yn wahanol i ffilm John Schlesinger, *Far from the Madding Crowd*, ddim byd tebyg i 'glawr bocs siocled' wrth fy modd innau. Fel yna y digwyddodd pethau, ym Môn, Pentrefoelas a Dolgellau, ac ofer fyddai ceisio eu gwyngalchu. Ond rydw i'n dal i obeithio i rai gwylwyr, o leiaf, deimlo peth tosturi tuag at Cadwaladr Jones a hyd yn oed Pierce Jones a Siôn Elias, a gallu dweud, gan groesi bysedd efallai, 'oni bai am ras Duw'.

Siawns nad ydi hynna'n ddigon o ladd, am y tro. Mi fu ond y dim imi ychwanegu 'ac o fusnesu ym mywydau pobol eraill'. Ond onid dyna ydw i wedi bod yn ei wneud, o'r dechrau? Fel diddordeb mewn pobol y byddwn i'n ei ddisgrifio, gan fod hynny'n swnio'n fwy parchus, ond be ydi'r ysfa i godi caead oddi ar benglog ac agor drws y galon ond busnesu?

28

Pan ddaeth gwahoddiad gan yr Athro Caerwyn Williams i lunio cyfrol ar Kate Roberts yn y gyfres Llên y Llenor, be oedd y peth cynta wnes i? Derbyn, wrth gwrs, a theimlo cyffro'r rhywbeth gwahanol unwaith eto. Gan fy mod eisoes wedi cyfeirio at y nodyn ar y clawr sy'n sôn am ei dylanwad ar fy ngweithiau cynnar, byddai'n well i mi ddilyn trywydd gwahanol, rhag ailadrodd. Ond cyn gwneud hynny, ga i bwysleisio unwaith eto mai fy mhenderfyniad i oedd torri'n rhydd o'r dylanwadau a fu a cheisio dod o hyd i'm llais fy hun.

Mae'r gyfrol mewn chwe rhan ac i bob un ei harwyddocâd arbennig. Ond yn y rhan gyntaf, 'Dyna fy Mywyd', y ceir yr allwedd i'r cwbwl. Cyhoeddwyd *Y Lôn Wen* yn 1960 pan oedd Dr Kate yn 69 oed. Ei dewis hi oedd cynnwys yr is-deitl, 'Darn o Hunangofiant'. Ar wahân i'r bennod olaf, dwy dudalen a hanner mewn cant pum deg pedwar o ddudalennau, darluniau o'r cyfnod cynnar yn unig sydd yma. Mae'r eglurhad a gawn yn y bennod olaf yn cynnwys rhai o'r cyfaddefiadau tristaf a mwyaf dirdynnol a ddarllenais erioed:

> Digwyddodd popeth pwysig i mi cyn 1917, popeth dwfn ei argraff ... Dyna fy mywyd ... yr oeddwn yn fyw y pryd hynny.

Geiriau gwraig a dreuliodd ei hoes yn edrych ar fywyd heibio i ffrwyn ddall y gorffennol, yn pwyso a mesur ei heddiw ar glorian ei doe a'i hechdoe, a'i gael yn sobor o brin. Rhai garw am edrych yn ôl ydan ni'r Cymry, ond does dim o'i le ar hynny cyn belled â'n bod ni'n ymwybodol o'r heddiw ac yn gwneud ymdrech i'w weld ar ei orau yn ogystal â'i waethaf. Dydi symud ymlaen ddim yn golygu anghofio'r hyn a fu, na'i ddiystyru. Ond dal i fyw yng Nghae'r Gors yr oedd Kate yn 1976, heb erioed fod eisiau ei adael. Meddai, mewn llythyr at Saunders Lewis:

Teimlaf weithiau mai dim ond fy mhlentyndod sy'n ffaith, mai breuddwyd yw gweddill fy einioes.

Er iddi gyfaddef nad oedd y cyfnod hwnnw'n fêl i gyd a'i bod, oherwydd ofn y canlyniadau, wedi gadael y pethau cas ac annymunol allan, ni allai 'edrych yn ôl mewn digofaint'. Iddi hi, peth negyddol oedd hynny. Ond peth cadarnhaol oedd edrych o'i chwmpas mewn digofaint. Bu'n drwm ei llach ar yr heddiw, mewn erthygl ac ysgrif, a thrwy gyfrwng ei chymeriadau. Rydan ninnau'r awduron yn ei chael hi'n eitha llym unwaith eto:

Amrywiaeth ar yr un thema yw ein holl lenyddiaeth erbyn hyn, rhoi'r olwg hyllaf posibl ar fywyd.

Dweud mawr, a braidd yn annheg! Ond roedd Kate fach Cae'r Gors wedi etifeddu dawn ei mam i 'ddweud y plaendra'.

Mae sawl edau'n rhedeg drwy'i gweithiau – y biti yntê, y methu dweud, yr ofn nabod, y surni yn y stumog, a'r casineb a barodd i'r Kate ifanc fod eisiau 'chwythu Aberdâr i'r cymylau', i Ann, *Tegwch y Bore*, ofyn, '*Tybed ai dyna'r dioddef mwyaf – dioddef pobl?*' ac i Ffebi, *Stryd y Glep*, haeru, '*Onid ydym yn hoffi casáu? Onid ydym yn nofio yn ei ddedwyddwch?*'

Blasu'r chwerw, anwesu cynnwys y tri llyfr tywyll, ymdrybaeddu mewn casineb. Pa ryfedd i rai gwyno fod ei storïau a'i nofelau'n drist a diobaith? Cawn fod y geiriau brwydro, dioddef, hunanoldeb, neb, pawb, ofnadwy, rhagrith, rhaid a syrffed yn brigo i'r wyneb dro ar ôl tro. Ond taro'n ôl wnaeth hi, gan ddweud fod gan bob awdur hawl i dynnu'r darlun a fyn o fywyd ac mai pobl arwynebol eu barn oedd y beirniaid hyn. Un na fu iddi weld fod bywyd yn beth digri o gwbwl ddwedodd mewn sgwrs gydag Aneirin Talfan Davies:

> Yr wyf yn ddynes groendenau, ac mae pethau yn fy mrifo. A oes rhywun yn gallu ysgrifennu heb fod bywyd yn ei frifo? Onid dyna'r symbyliad i ysgrifennu? Mae llawer iawn o bob awdur yn ei gymeriadau, rhai ohonynt beth bynnag. Tafliad ohonoch chwi eich hun yn aml yw eich prif gymeriad, rhowch eich meddyliau chwi eich hun yn ei enau.

Yr un oedd cyngor Ernest Hemingway mewn llythyr at Scott Fitzgerald:

> Forget your personal tragedy. We are all bitched from the start and you especially have to be hurt like hell before you

can write seriously. But when you get the damned hurt, use it — don't cheat with it.

Byddai Kate wedi cytuno gant y cant, greda i, ac wedi amenio plaendra'r dweud, er iddi hi ddewis ei geiriau'n ofalus gan ei bod yn credu nad llwyfan i weiddi ohono oedd y stori fer.

Edau arall sy'n gwau drwy'r cyfan ydi dau begwn y 'ni' a'r 'nhw', ac fel hyn y ceisiais i eu darlunio'n y gyfrol:

Nid y rhaniad cyffredin rhwng pobl y capel a'r byd, y parchus a'r ciari-dyms mohono, fodd bynnag. Y ni yw'r rhai sy'n adlewyrchu personoliaeth yr awdures ac yn rhoi tafod i'w hadwaith hi i'r byd o'i chwmpas; y nhw yw'r gweddill, yn llipa, ddi-asgwrn-cefn neu'n hunanol atgas. Ni fyn y ni adnabod y nhw ac nid oes ganddynt ronyn o gariad tuag atynt, mwy na sydd gan yr awdures ei hun ... Er bod hyn yn anochel, i raddau helaeth, mae'r un tafliad cyson yn esgor ar ddarlun anghytbwys o gymdeithas.

A minnau'n ceisio dod o hyd i gnewyllyn o ddaioni ym mhawb, er bod hynny bron yn amhosibl weithiau, rydw i'n ei chael yn anodd derbyn y cymeriadau du-i-gyd nad oes unrhyw rinwedd yn perthyn iddyn nhw.

Ei chred hi oedd y gallai dioddef droi'n fath o orfoledd wrth i bobol 'ddrachtio'r gwaddod sur, a chodi wedyn, nid yn fuddugoliaethus, ond yn hyderus i ailwynebu bywyd'. Yn anaml y digwydd hynny. Peth cymharol brin ydi llawenydd, i'r hen a'r ifanc fel ei gilydd. Mae'r sgwrs rhwng Owen a'i fam yn *Traed Mewn Cyffion* yn gyrru ias oer drwydda i, a'r 'dim' mor ddirdynnol â chyffesion *Y Lôn Wen*:

'Mam, be fasa tasa dim byd? Be fasa tasa 'na ddim nacw (gan bwyntio at yr awyr) na dim o gwbwl, na ninnau ddim chwaith?'
'Mi fasa'n braf iawn, 'y machgen i,' oedd ei hunig ateb.

Gydol ei hoes, bu Kate Roberts yn driw iddi ei hun, ei theulu, a'r gongl fach lle roedd Bywyd. Ysgrifennodd '*rhag suddo*' a chael, drwy'r mynegiant, '*wared â rhywbeth y tu mewn, fel mae drwg mewn gwaed yn torri allan yn blorod*'. Ond afraid, mewn gwirionedd, ydi rhestru rhesymau pam y bu iddi ymroi i lenydda. Nid oedd ganddi ddewis ond dweud ei dweud, heb flewyn ar dafod, gan mai felly y gwelai hi bethau. Gallwn dderbyn neu wrthod hynny, ond ni allwn lai nag edmygu'i dawn:

O gronni llif yr ysgrifen – treiddiodd
at wreiddyn llythyren,
a daliodd ar dudalen
ei hadlais â llais ei llên.

Gwau y geiriau o garreg – a nyddu'r
rhuddin i bob brawddeg;
cyweirio a brodio breg
â grym edau'i gramadeg.

Yr un gaer a rannai gynt,
eiddo'r un ddaear oeddynt.
O'u craidd hwy y creodd hon
neges ei Mabinogion.
Rhoddodd i'w hiaith ei rhyddid,
i'r prin ei drysorau prid,
achub y pethau bychan,
dyfnu maeth o'r dafnau mân,
cywain o bridd y cawn bras,
o'r llwch harddwch ac urddas.

Daw'r dyfyniad o'r awdl a anfonais i Eisteddfod Genedlaethol Bro Delyn, 1991. Wedi rhyw lun o ddysgu'r canu caeth ar fy liwt fy hun ydw i, a dydi'r Brifwyl mo'r lle i fwrw prentisiaeth. Ond er fy mod yn sylweddoli hynny, ro'n i am gael cynnig arni. Mi ges feirniadaeth deg ac adeiladol a dod yn ail allan o dri ar ddeg. Roedd *Llain Wen* ac *Erin*, yn ôl Branwen Jarvis, wedi cyrraedd tir uwch na'r gweddill. Un yn unig a lwyddodd i gyrraedd y copa. Ond mae gofyn mentro weithiau, ac, os methu, bod yn barod i wynebu sialens newydd.

29

Roedd awduresau eraill yn cyfoesi â'r Dr Kate, ac un o'r rheini oedd Elena Puw Morgan. Ni chafodd hi, mwy na'r un awdures arall, fawr o sylw. Ond nid oherwydd hynny y penderfynais i addasu ei nofel, *Y Wisg Sidan*, ar gyfer y teledu. Cytunodd y ddau Williams, Dafydd Huw a Gareth, Ffilmiau Llifon fod yno botensial, ac ymlaen â fi. Ro'n i'n teimlo fod y stori'n un gref a'r cymeriadau'n rhai y gellid uniaethu â nhw, ond y symbyliad pennaf oedd dwy 'olygfa' arbennig.

Prif gymeriad y nofel ydi Mali Meredur, geneth syml, ddiniwed. Mae'r cyfan yn digwydd oherwydd gwisg sidan o liw'r gwin a chusan mewn ffair. Â'r gusan honno â hi'n forwyn i Blas-yr-Allt, i ddarganfod fod gan y gŵr ifanc y rhoesai ei bryd arno'r diwrnod hwnnw wraig ac mai fo ydi meistr y Plas. Ond nid geneth gyffredin mo Mali. Mae'n llwyddo i gelu'i breuddwydion a'i dyheadau, dro ar ôl tro, oherwydd ei phryder a'i gofal am eraill. Er pob siom ac anlwc, caiff hithau ei munudau cofiadwy; dim ond briwsion, mae'n wir, ond digon i'w chynnal.

Sawl gwaith yr ydw i wedi ei gweld yn ei gwisg o sidan liw'r gwin, ond heb ei chlocsiau a'i hosanau trwsgwl, yn sefyll o flaen y drych mawr yn ystafell wely Plas-yr-Allt a breichiau'r meistr ifanc yn cau amdani?

Do, fe gafodd Mali ei dymuniad, er iddi orfod talu'n ddrud am hynny. Ymhen blynyddoedd wedyn, a hithau wedi gorfod gwylio Timothy Huws, y meistr ifanc y rhoesai ei chalon iddo ddiwrnod y ffair, yn dod â Lili, ei wraig newydd, i'r Plas, mae'n ei gael yn eiddo iddi'i hun.

Gweld yr olygfa honno wnes i, hefyd, ymhell cyn iddi ymddangos ar y sgrin. Y lleoliad ydi bwthyn Saro, yr hen wraig a fu'n ail-wneud y wisg sidan ar gyfer y ffair, a chartref Mali erbyn hyn. I'r fan honno y daw Mali â'r un a fu unwaith yn feistr y Plas, bellach yn hen a gwael ac wedi colli'r cyfan. Er bod yno danwydd sych, nid oes ganddi bapur i gynnau'r tân.

Mae'n tynnu'r wisg o'i phecyn, yn cipio siswrn, ac yn ei redeg yn wyllt drwy'r sidan:

Yna taflodd ef yn ddarnau mawr i'r grât. Onid oedd yn briodol mai yng nghartref Saro y deuai diwedd ar y wisg?

Wrth i'r walbon yn y bodis fflamio, nes goleuo'r gegin, teimla Mali'n ysgafnach ei chalon nag y bu erioed. Mae'r diweddglo cynnil, tawel, yn cynnwys un o'r brawddegau mwyaf eironig a geir mewn unrhyw nofel:

Plygodd Timothy Huws ymlaen, gan rythu i'r fflamau. 'Sidan lliw'r gwin,' meddai, a'i wyneb yn goleuo. 'Gan bwy y gwelais i ffrog fel yna? Gan Lili mae'n siŵr.'

Efallai fod yn y nofel ormod o gyfrinachau a chydddigwyddiadau. Roedd cryn dipyn o waith addasu arni gan ei bod yn symud yn ôl ac ymlaen rhwng y gorffennol a'r presennol ac yn adrodd sawl stori o fewn stori. Bu'n rhaid chwynnu'r deialogau a'u symleiddio i'w cael i ffitio i'r darlun cyflawn, a gwneud defnydd o gyfuniad llais a llun. Ond fel yn *Llygad am Lygad*, roedd y gwaith camera yn nwylo diogel Dafydd Hobson. Fel 'cywaith penigamp' y disgrifiodd Jon Gower y gyfres o bedair pennod:

Roedd yr olygfa ble roedd pawb yn cael picnic ar y traeth wedi ei chyfansoddi yn hytrach na chael ei ffilmio. O rewi'r delweddau electronic fe edrychai'r golygfeydd fel peintiadau olew. Y ceffylau gwynion mawr yn tynnu'r aradr. Y menywod yn casglu eithin yn y gwanwyn. Y ffair yn fwrlwm o bethau diddorol – gyda'r mwnci bach ar ben yr hyrdi-gyrdi, y stondin tafleth, yr adar egsotig wedi'u stwffio.

Heb anghofio bwthyn Saro, yn llawn dail a pherlysiau, a hyd yn oed barot oedd yn siarad Cymraeg!

Gadael Mali a Timothy efo'i gilydd wnes i, gan obeithio'r gorau, a dychwelyd at y 'bobol ddrwg' yn *Dant am Ddant*, nad ydi o'n swnio lawn mor erchyll â llygad am lygad, er bod digon o sôn am ladd yn hwn, hefyd. Gan fod yma naw stori, rhwng 1836 ac 1903, a' i ddim i fanylu ar y cynnwys, dim ond cynnig rhagflas drwy gyfrwng y cwestiynau hyn:

Pa gyfrinachau a swatiai rhwng muriau Tŷ'n y Caeau ac ym meddwl cythryblus y gŵr o dras? Beth yn union ddigwyddodd gerllaw'r tŷ a rannwyd yn ei erbyn ei hun ac ar ddiwrnod rhynllyd o Fawrth ar ben y Gogarth? Ai baich euogrwydd a barodd i Wil Cŵn roi ei fys ar y triger? Beth oedd canlyniad esgeulustod y forwyn fach a hunllef Ellen Ann ar draeth Dinas Dinlle? Sut y bu i'r Parchedig geisio achub ei groen ei hun a pham na fu i Dic Rolant gyfaddef ei fai er mwyn achub ei enaid?

Un yn unig o'r naw a gollodd ei fywyd o ganlyniad i'w drosedd er i'r dant am ddant gael ei weinyddu mewn sawl dull a modd. Cymerodd dau ohonynt y gyfraith yn eu dwylo eu hunain. Mae'r diniweidrwydd a'r tlodi yr un mor amlwg yma. Y merched, gan mwyaf, sy'n ennyn cydymdeimlad, fel yr eneth fach o Lŷn. Ofn ac anwybodaeth a barodd iddyn nhw groesi'r ffin ac mae cri dorcalonnus Ellen Griffith, 'Be dw i 'di neud?' yn ddigon i doddi'r galon galetaf. Cawsant eu barnu'n hallt a'u gosod yn esiampl i eraill yn ôl goleuni, neu ddiffyg goleuni, eu cymdeithas a'u hoes, ond tybed nad oeddan nhw'n gymaint dioddefwyr â'r dioddefwyr eu hunain? Yr hyn sy'n aros yn fy nghof i ydi araith afaelgar Ellis Jones Griffith ym Mrawdlys Môn ac Arfon pan gyhuddwyd Ellen Ann o lofruddio'i baban newydd-anedig drwy ei adael ei hunan bach ar draeth Dinas Dinlle berfedd nos. Tystiodd ei fod yn bendant ei feddwl nad oedd wedi bwriadu lladd ei phlentyn. Teimlai'n sicr y byddai'r rheithgor, wedi iddynt ystyried holl ffeithiau'r achos truenus hwn, yn gyndyn iawn o gymeradwyo'r cyhuddiad gwreiddiol ac yn ei chael yn euog o ddynladdiad yn unig. Dyna i chi ddyn yr hoffwn i fod wedi'i gyfarfod er mwyn cael ysgwyd ei law a diolch iddo am ddeall.

Gair, cyn cloi, am y stori ryfedd honno, 'Dwylo Segur', sy'n rhoi hanes cythryblus y Parchedig Thomas Morris Hughes. Be fyddai Ellis Jones Griffith wedi'i wneud o hwnnw, tybed? Gan mai dim ond ailadrodd y stori wnes i, rydw i'n manteisio ar y cyfle i'ch annog i'w darllen a phenderfynu drosoch eich hunain a oedd y ddedfryd o dri mis o garchar, heb lafur caled, 'er cael chwarter o ysgol mewn moeseg', yn gyfiawn ai peidio.

Gall drygioni ei amlygu ei hun mewn sawl dull a modd. Go brin y gellid galw Gwen Llwyd, *Y Graith*, Elena Puw Morgan yn ddynes ddrwg, er ei bod hi'n euog o ddinistrio bywydau. Nid drwy ladd, ond â'i chwip o dafod, ei diffyg tosturi, a'r casineb sy'n wenwyn o'i mewn. Brwydr galed o waith diddiwedd i geisio cael y ddau ben llinyn ynghyd oedd bywyd iddi hi. Gallai fod yn un i'w hedmygu am ei gwytnwch a'i hymroddiad, a haeddu cael ei hystyried yn arwres hyd yn oed. Ond pan es i ati i addasu'r nofel ar gyfer y teledu yn 1998 ro'n i'n ei chael yn anodd iawn cydymdeimlo â hi. Byddwn wedi gallu derbyn y cwynion di-baid a'r hunandosturi, a'i hesgusodi efallai oherwydd yr amgylchiadau, ond ni allwn faddau iddi am achosi'r fath ddioddef i Edward, ei gŵr, a Dori, ei merch hynaf.

Y Graith oedd y nofel a enillodd y Fedal Ryddiaith yn Eisteddfod Genedlaethol Caerdydd, 1938, a dyma oedd gan y beirniad, D. J. Williams, i'w ddweud amdani:

Fe'i hysgrifennwyd mewn arddull wych, ac y mae'n gyfoethog mewn geiriau a thermau gwerin y talai wneuthur geirfa fechan ohonynt. Wedi ei darllen yn fanwl, a meddwl nid ychydig uwch ei phen, yr wyf o'r farn fod y gwaith hwn yn gyfraniad pwysig i fyd y nofel yng Nghymru, ac y bydd iddo le arhosol yn ein llenyddiaeth.

Alla i ddim cytuno, fodd bynnag, â'r sylw 'y mae cynllun y stori yn syml a chlir'. Yn fy marn i, mae hon yn nofel seicolegol gref a Gwen Llwyd yn gymeriad tu hwnt o gymhleth. Dim ond prin gyffwrdd â dwy nofel 'fwyaf' Elena Puw Morgan (o ran hyd yn hytrach na chynnwys) wna Thomas Parry yn ei gyfrol *Llenyddiaeth Gymraeg 1900–1945*. Credai ef eu bod yn araf eu symudiad ac nad oedd 'y cyswllt *rhwng profiad cymeriad a datblygiad y nofel yn ddiogel bob tro'*. Ond mi fyddwn i'n barod i ddadlau fod yr amseru hamddenol yn creu naws y cyfnod a gafael yr awdur ar themâu'r graith a'r wisg sidan yn gwbwl ddiogel.

I 1997 y perthyn y ddrama fer *Dail Tafol*, a deledwyd i ddathlu Diwrnod Rhyngwladol y Merched. Ro'n i wedi bod eisiau ysgrifennu drama wedi'i lleoli mewn lloches i ferched ers tro ond roedd gofyn gwneud ymchwil manwl gan fod hwnnw'n fyd dieithr imi. Cael y ffeithiau'n gywir oedd yn bwysig, cyn rhoi'r dychymyg ar waith. I'r merched hyn, y llochesi ydi'r dail tafol all leddfu brath a briwiau'r danadl poethion, dros dro o leiaf. Rydan ni'n gyfarwydd â chlywed am y trais corfforol, y curo a'r cam-drin. Ond gall y trais meddyliol achosi mwy o wewyr yn aml. Roedd gen i un cymeriad yn y ddrama, merch barchus a galluog, oedd wedi cael ei rheoli'n llwyr gan ei gŵr nes ei bod wedi colli ei hunanhyder a'i hunaniaeth. Yr hyn yr o'n i'n ceisio'i gyfleu oedd bod y merched hyn, er bod gan bob un ohonynt ei gofid a'i phroblemau ei hun, yn gwneud ymdrech i fod yn gysur i'w gilydd. Ac am wn i nad oedd hynny'n gystal rheswm â'r un dros ddathlu.

Rywdro'n ystod 1998 – mae'r dyddiad wedi mynd yn angof – mi ges innau gyfle i ddathlu derbyn anrheg o radd M.A. gan Brifysgol Cymru. Ond uchafbwynt y seremoni a gynhaliwyd yng Nghaerdydd i mi oedd cyfarfod yr Archesgob Desmond Tutu a rhoi cusan iddo ar ei foch. Roedd ei wên hyfryd yn werth mwy na'r anrhydedd hyd yn oed.

30

Er fy mod i wedi ceisio bod mor drefnus ag y bo modd, mae'r nawdegau'n un cawdel yn fy mhen. Cyn gwneud rhagor o stomp, rydw i am gymryd cam yn ôl i 1995 a'r misoedd y bûm i'n byw yn 263 Prinsengracht, Amsterdam fel atodiad i'r teulu Frank.

Mae gen i ryw gof o ddarllen *Dyddiadur Anne Frank* flynyddoedd cyn hynny, ond heb allu amgyffred teimladau'r eneth a orfodwyd i oddef carchar dim ond am mai Iddewes oedd hi. Cael y dyddiadur yn anrheg ar ei phen blwydd yn ddeuddeg oed wnaeth Anne, a dyma'i chofnod cyntaf, ar y deuddegfed o Fehefin, 1942:

Rydw i'n gobeithio y galla i ymddiried y cyfan i ti, gan nad ydw i erioed wedi gallu ymddiried yn neb o'r blaen, ac yn gobeithio y byddi di'n gefn ac yn gysur mawr i mi.

Do'n i fawr feddwl y byddwn i'n mynd ati ar gais Gwerfyl Pierce Jones, Cyngor Llyfrau Cymru, i addasu'r dyddiadur cyflawn, sy'n cynnwys rhannau a adawyd allan o'r fersiwn a olygwyd gan ei thad. Yn ei ragair i hwnnw, mae'r Rabi Hugo Gryn yn cynnwys yr hyn ddwedodd y Rabi Nachum Yanchiker, pennaeth y coleg rabinaidd yn Lithwania, wrth ei fyfyrwyr eiliadau cyn i'r Almaenwyr oresgyn Kovno:

Peidiwch â gadael i'r aros a'r dagrau eich chwerwi chi. Gwnewch fel y gwnaeth ein gwŷr doeth – siaradwch yn dawel a thyner a gadewch i'r geiriau lifo i lythyrau. Ni all dyn ddinistrio llythyrau, oherwydd mae gan eiriau adenydd; maen nhw'n dringo i'r uchelderau ac yn byw am byth.

Dewisodd Anne ysgrifennu'i dyddiadur ar ffurf llythyrau i Kitty, ffrind dychmygol y gallai agor ei chalon iddi. Cawn ninnau, yn sgil Kitty, rannu'i phryderon, ei hofnau a'i gobeithion. Down i wybod nid yn unig am y drafftiau plagus y mae'n gorfod eu hwynebu bob dydd ond am y gwynt creulon, estron sy'n bygwth ei dyfodol. Go brin y gall neb ddarllen y llythyrau hyn mewn gwaed oer.

A'i addasu wnes i, nid ei gyfieithu, gan fod addasiad yn cynnig ychydig mwy o ryddid. Ond roedd gofyn imi fod yn gyson ymwybodol mai geiriau Anne oeddan nhw a'i bod hi, fel y Rabi, yn gwybod eu gwerth. Meddai wrth Kitty:

Rwyt ti'n gwybod ers talwm bellach mai fy nymuniad pennaf i ydi cael bod yn newyddiadures ac, yn ddiweddarach, yn awdures enwog. Rhaid aros i weld a fydd i'r gobeithion aruchel hyn (neu freuddwydion gwag!) ddod yn wir. Ond dydw i ddim wedi bod yn brin o bynciau hyd yma. P'un bynnag, mi hoffwn i gyhoeddi llyfr o'r enw Y Rhandy Dirgel ar ôl y rhyfel. Amser a ddengys a wna i lwyddo, ond fe fydd fy nyddiadur i'n sylfaen da ...

Ond rydw i eisiau cyflawni mwy na hynny ... Rydw i angen rhywbeth heblaw gŵr a phlant i ymroi iddo. Dydw i ddim

eisiau byw bywyd dibwrpas fel y rhan fwyaf o bobl. Rydw i
eisiau bod yn ddefnyddiol a rhoi mwynhad i bawb, hyd yn oed
y rhai nad ydw i erioed wedi eu cyfarfod. Rydw i eisiau dal i
fyw hyd yn oed wedi i mi farw!

Mae'n anodd sylweddoli weithiau pa mor ifanc oedd hi a'r
fath loes i un fywiog, siaradus fel hi oedd gorfod dioddef
caethiwed. Gallai fod yn finiog ei thafod, yn ddiamynedd,
ac yn blentynnaidd bwdlyd ar adegau. Roedd ganddi, hefyd,
synnwyr digrifwch a'r ddawn i ddisgrifio'r troeon trwstan
nes peri i ni chwerthin. Dro arall, mae'n ymddwyn yn llawer
hŷn na'i hoed ac fe'i gwelwn yn aeddfedu yn ystod y ddwy
flynedd i fod yn feirniad llym arni ei hun yn ogystal ag eraill.
Gonestrwydd Anne, yn fwy na dim, sy'n gwneud y
dyddiadur yn un mor arbennig. Er bod y pryder a'r ofnau'n
mynd yn drech na hi weithiau, nid oedd byth heb obaith.
Ynom ni, sy'n gwybod na chafodd gyfle i wireddu'i
dyheadau, y mae'r tristwch.

Mae fy nghyflwyniad i'r addasiad yn diweddu â'r geiriau:

Rydw i'n teimlo'n gyfoethocach o fod wedi cael y cyfle i
drosglwyddo'r neges yr oedd Otto Frank yn awyddus i'w
rhannu â phawb dros y byd i gyd, yn ein hiaith ein hunain.
Yr un ydi'r neges ym mha iaith bynnag y cyflwynir hi, neges y
dylem i gyd fod yr un mor ymwybodol ohoni heddiw.

Cafodd y dyddiadur ei gyfieithu i tua saith deg o wahanol
ieithoedd. Uchafbwynt ymweliad Llew a minnau ag

Amsterdam oedd cael fod yr addasiad Cymraeg yn eu mysg, mewn cas gwydr yn Nhŷ Anne Frank. Fe fuon ni'n cerdded milltiroedd, hyd lannau camlesi a thros bontydd, ac yn ciwio am oriau y tu allan i'r Rijksmuseum. Ond aeth yr aros diflas hwnnw'n angof wrth i mi gael fy swyno gan ddawn anhygoel Caravaggio i gyfleu cymaint drwy gyfrwng wynebau. Roedd yn ddiwrnod gŵyl, y lliw oren yn amlwg ym mhobman, a'r tramiau allan o'r ddinas yn hynod o brin. Dyn a ŵyr sut y cyrhaeddon ni'n ôl, gan ein bod wedi anghofio enw'r gwesty. Ond stori arall ydi honno.

I Miep Gies, ysgrifenyddes Otto Frank, Cyfarwyddwr Rheoli Opekta yn Amsterdam, y mae'r diolch mwyaf. Ar Awst 4, 1944, arestiwyd yr wyth oedd yn cuddio'n y Rhandy. Daeth Miep a Bep Voskuijl, ysgrifenyddes arall, o hyd i ddyddiaduron Anne wedi'u gadael ar lawr. Cadwodd Miep hwy'n ddiogel a'u trosglwyddo, wedi'r rhyfel, i Otto Frank, yr unig un o'r wyth i oroesi.

Y diwrnod hwnnw, ysbeiliwyd y Rhandy Dirgel ac aed â phopeth o werth oddi yno. Popeth, ond y peth mwyaf gwerthfawr o'r cyfan. Oherwydd trefn rhagluniaeth, neu dro ffawd, mae Anne yn dal yn fyw i ni heddiw.

31

Alla i'n fy myw gofio pryd y dechreuais i gyfrannu i *Pobol y Cwm*. Mi fûm wrthi am rai blynyddoedd, yn gweithio fel un o dîm, ac yn llunio'r storïau am sbel. Atgofion cymysg iawn sydd gen i o'r mynd a'r dod i Gaerdydd. Ro'n i'n mwynhau'r daith yn y car, ac yn yrrwr cyflym, ond siwrna hir a braidd yn ddiflas oedd yr un ar y trên o Gyffordd Llandudno. Gan ein bod fel tîm yn cyfarfod yn y bora, roedd yn rhaid aros noson yn y brifddinas. Mae'n rhaid imi gyfaddef nad o'n i gweld fawr o bwrpas i'r cyfarfodydd gan fod popeth wedi ei bennu ymlaen llaw, yn cynnwys y storïau eu hunain. Erbyn hyn, maen nhw a'r sgriptiau i gyd wedi plethu'n un, fel partïon Nadolig Maenofferen a'r dyddiau ar draeth Morfa Bychan.

Ond roedd blas ar y min nosau. Aros, i ddechrau, efo Marion Arthur, ffrind yr o'n i wrth fy modd yn ei chwmni, cyn iddi hi hiraethu am y Gogledd a mudo i Lanllyfni, yna symud i Bontcanna at Manon a Jim i sgwrsio a thrafod a chwarae Scrabble. A chychwyn am adref drannoeth, heb weld fawr o'r ddinas, dim ond yr Arcêd ar bwys yr orsaf, oedd yn lle delfrydol i aros y trên. Yno y byddwn i'n ymlacio, gan fy mherswadio fy hun 'mod i'n haeddu sbelan fach cyn ailafael yn y gwaith. Oes, mae gen i wendid am chwarae peiriannau. Yr hen elfen gystadleuol 'ma'n cael y gorau arna i unwaith eto. Ac ro'n i *yn* ennill, weithiau. Taw oedd piau hi pan fyddwn i'n colli!

Roedd gweithio ar y cyd yn ymarfer da ond yn groes i'r graen i un fel fi oedd wedi arfer cael ei ffordd ei hun, fwy neu lai. Fy nghymeriadau i oedd pobol *Minafon*. Fi oedd wedi eu creu, a f'eiddo i oeddan nhw nes i'r actorion fynnu siâr ynddyn nhw. Er mai cymryd benthyg cymeriadau'r cyfresi eraill wnes i, fi oedd wedi dewis dod i'w nabod ac ro'n i'n gyndyn iawn o ollwng fy ngafael arnyn nhw. Ond nid fi oedd piau pobol Y Cwm er imi wneud fy ngorau i glosio atyn nhw a dod yn bur hoff o ambell un. Nid fy storïau i oedd y rhain. Byddwn yn anghytuno weithiau, ond bodloni i'r drefn oedd raid ac ildio mor raslon ag oedd modd. Teimlo'n rhwystredig yr o'n i, mae'n siŵr, o golli'r rhyddid a'r hawl i ddweud 'nid fel hyn y byddai o neu hi'n ymateb'.

Ro'n i wedi cael digon ar y teithio, y cyfarfodydd a'r sgriptio, a dylwn fod wedi rhoi'r gorau iddi cyn iddyn nhw roi'r gorau i mi. Ond dyna ddigwyddodd, er imi dderbyn llythyr eitha cwrtais yn dweud fod y drws yn dal yn agored. F'ateb i oedd, 'Fe allwch gau'r drws, a'i gloi, o'm rhan i.' A dyna, a benthyca un o idiomau iaith y *story writers*, losgi'r pontydd i gyd.

Wnes i ddim difaru eiliad. Ond sut mae rhywun yn rhydio'r afon pan nad oes pont ar gael? Adeiladu un arall ar y cyfle cyntaf. Bu clywed rhywun yn awgrymu fy mod i wedi troi fy nghefn ar y llyfr yn ddigon o symbyliad. Wedi'r cyfan, mae gan lyfrau fwy i'w gynnig na seren wib y teledu. Efallai fod darllenwyr wedi prinhau ond does yna ddim curo ar lyfr y gallwch ei gyffwrdd a throi ato pryd y mynnwch. Ffrindiau ydi llyfrau i mi, ffrindiau da a ffyddlon.

Rydw i'n teimlo weithiau y dylwn ymddiheuro iddyn nhw am eu hesgeuluso. Ond y gwir ydi y byddwn i wedi gorfod byw ar friwsion pe bawn i'n dibynnu arnyn nhw. Roedd gen i ŵr i wneud yn siŵr na fyddai hynny'n digwydd, wrth gwrs. Er nad ydw i'n ffeminydd, dydi gorfod cyfaddef hynna ddim yn beth hawdd. A dweud y gwir, mae gen i ofn ffeministiaeth eithafol am fod iddi elfennau o chwerwder a chasineb na alla i ddygymod â nhw. Ond doedd gen i fawr i'w gyfrannu'n ariannol wedi blynyddoedd o waith caled. Byddwn yn gofyn i mi fy hun weithiau – 'Pam?' ac 'I be?'– er mai dim ond un ateb oedd. Fy newis i, nid rheidrwydd, oedd ysgrifennu ar gyfer y teledu er bod derbyn cyflog yn beth i'w groesawu ac yn cynnig rhywfaint o dawelwch cydwybod.

Prin iawn ydi'r ymateb i eiriau ar bapur. Ond fe newidiodd pethau pan ymddangosodd *Minafon*. Roedd pobol fel pe baen nhw'n sylweddoli o'r diwedd fy mod i'n *sgwennu*! Nid fod hynny o dragwyddol bwys gan mai dyna fyddwn i wedi'i wneud p'un bynnag, ond roedd cael y gwylwyr yn dod ata i ar y stryd neu mewn siop i drafod y cymeriadau'n brofiad braf. Rydw i'n cofio rhywun yn gofyn, 'Welsoch chi *Minafon* neithiwr?' fel tasa a wnelo fi ddim â hi. Mae pethau bach fel'na'n gallu rhoi hwb i'r galon ar yr adegau hynny pan fydd yr hyn yr ydw i wedi dewis ei wneud yn ymddangos yn waith unig iawn.

Does 'na neb yn anhepgor, ac mae *Pobol y Cwm* yn dal i

fynd. Dim ond llond dwrn o'r hen sgriptwyr sy'n dal i gyfrannu ond fel yn 'Aros mae'r mynyddau mawr' daw bugeiliaid newydd i gymryd eu lle, ac felly y dylai pethau fod. Choelia i byth nad ydi Eileen a Mark yn cael mwy na'u siâr o dreialon, ond dydi hynny ddim yn fy mhoeni i bellach. Gwylio o bellter y bydda i er fy mod yn dal i ofyn cwestiynau. Efo faint o ferched mae Hywel Llywelyn wedi rhannu gwely dros y blynyddoedd? Pwy sydd, ac wedi bod, yn briod efo pwy? Be'n union ydi'r berthynas rhwng hon-a-hon a hwn-a-hwn? Dydw i ddim yn eu nabod yn ddigon da bellach i allu cynnig atebion a does a wnelo beth sy'n mynd i ddod ohonyn nhw ddim â fi.

Na, wna i ddim ymddiheuro i'r llyfrau. Mae'r mwynhad ges i o sgwennu ar gyfer y teledu yn rhywbeth gwerthfawr. Yn ôl atyn nhw y dois i p'un bynnag, a phara'n ffyddlon byth wedyn.

Yn *Pigion 2000*, a gyhoeddwyd gan Wasg Carreg Gwalch, mae'r golygydd, Tegwyn Jones, yn dweud imi gyfeirio mewn darlith yn 1983 at y garwriaeth stormus oedd rhyngdda i a geiriau. Ond dim ond ffrindiau go iawn all ffraeo heb ddigio a chymodi heb ddal dig.

Erbyn diwedd y ganrif, roedd y teulu'n cynnwys Tomos, Buddug, Gruff a Dyddgu ym Methesda, Cameron, yr efeilliaid Mairi a Cara, a Llywelyn yn Nolwyddelan ac Elen, Siôn, Dafydd a Lois yng Ngherrigydrudion. Be fyddai gan Mam i'w ddweud am hynny, tybed? Bu cael cwmni'r rhai bach yn Lluest a'r hwyl wrth deithio yma ac acw'n y car yn brofiadau i'w trysori. O edrych yn ôl, dyna pryd y dylwn i fod wedi oedi i gyfri 'mendithion. Ond roedd y da mor dda a ninnau'n hapus. Wydden ni ddim, drwy drugaredd, be oedd yn ein disgwyl ni fel teulu cyn i'r ganrif ddod i'w phen ac wrth i ganrif newydd wawrio.

32

Cyngor Ernest Hemingway oedd, *'Forget your personal tragedy ... But when you get the damned hurt, use it ...'*

Dydw i erioed wedi gallu gwneud hynny. Mi wn innau, fel Kate, am y mygdod a'r ofn suddo ond, yn wahanol iddi hi, roedd edrych i mewn arnaf fy hun yn amhosibl. Cyfnodau tywyll a diobaith oedd y rhai o orfod gwylio'r plant yn dioddef, gorff a meddwl, a theimlo'n gwbwl ddiymadferth. Nid byd y dychymyg yr o'n i mor gyfarwydd â fo oedd hwn ond y byd real nad oedd gen i unrhyw reolaeth arno. O, ydw, rydw i'n cofio'r cyfan. Ond byddai eu hail-fyw yma'n fy sigo'n llwyr. Ein beichiau ni fel teulu oeddan nhw a phwy, mewn difri, fyddai'n dymuno eu rhannu? Efallai nad ydi hyn ond ffordd o osgoi'r crio allan a'r gwaedu cyhoeddus, a'r 'surni yn y stumog' yn fwy na dim, ond fy newis i ydi eu rhoi i gadw'n yr ystafell na chenfydd y byd. Yno y mae eu lle, ochr yn ochr â chyffro'r oriau mawr a gwefr yr eiliadau; y profiadau personol nad ân nhw byth yn angof, y wên a'r dagrau, y llawenydd a'r anobaith, y cynhesrwydd a'r oerni, y melys a'r chwerw.

> Laugh, and the world laughs with you;
> Weep, and you weep alone;
> For the sad old earth must borrow its mirth,
> But has trouble enough of its own.

Sing, and the hills will answer;
Sigh, it is lost on the air;
The echoes bound to a joyful sound,
But shrink from voicing care.

Daw'r dyfyniad o'r gerdd 'Solitude' gan Ella Wheeler Wilcox o Wisconsin. Yn ôl y pwt gwybodaeth ar y rhyngrwyd, bardd y 'b' fach oedd hi er bod ei gwaith yn boblogaidd yn ystod ail hanner y bedwaredd ganrif ar bymtheg. Aeth ei henw'n angof ond mae'r hyn a fynegir yn y gerdd fach honno yr un mor berthnasol heddiw.

Mae geiriau, er mor werthfawr, yn gallu bod yn gwbwl annigonol weithiau a byd y dychymyg yn ymddangos yn llawer diogelach. A dychwelyd i hwnnw wnes i, bob yn dipyn, er imi gael cyfnodau o fethu sgwennu. Ond fe ddaeth eto haul ar fryn, fel maen *nhw*'n dweud, ar ffurf comisiwn gan y Cyngor Llyfrau i addasu dwy gyfrol fer yng nghyfres Scholastic, My Story. Rhyw fath o therapi fu'r gwaith er nad oedd y mwynhad yr un a chymylau'r poen meddwl yn bygwth yr haul. Roedd yr ofn o fethu ailafael yn y sgwennu yn llethol ar adegau. Ni allwn byth fod wedi rhannu profiadau ingol Anne Frank yn ystod y cyfnodau tywyll hynny.

Ond nid Anne mo Margaret Anne Brady, *Mordaith ar y Titanic* ac Edie Benson, *Blits*. Mae'r ddwy gyfrol ar ffurf dyddiaduron ond yn blethiad o ffeithiau hanesyddol a dychymyg. Addasiadau o addasiadau ydi fy rhai i. Cymeriad dychmygol ydi Edie ond roedd Margaret Anne yn bod. Er y profiadau erchyll sy'n dod i'w rhan, ar fwrdd y *Titanic* ac yn Llundain pan oedd y Blits ar ei anterth, mae'r ddwy'n llwyddo i oroesi. Mae'n siŵr gen i mai'r ffaith fod y cyfrolau wedi'u llunio ar gyfer plant hŷn a'r arddegau cynnar sydd i gyfri am yr ôl-nodyn a'r epilog – y ddau atodiad a'u byw'n-hapus-byth-wedyn. Cawn olrhain hanes Margaret Anne yn yr Amerig hyd at y nawdegau a rhannu geiriau Edie yn 1946 gan wybod y caiff hi, yn wahanol i Anne Frank, eu gweld yn magu adenydd:

Rydw i eisiau mynd i'r brifysgol i astudio hanes, a gwleidyddiaeth efallai. Mae'r Ail Ryfel Byd y bu i ni fyw trwyddo wedi gadael y rhan fwyaf o Ewrop yn adfeilion. Rhaid i ni ei ailadeiladu, a'i wneud yn well lle i fyw ynddo. A rywfodd rhaid i ni sicrhau na fydd yna byth drydydd rhyfel, oherwydd fe wyddom bellach, os digwydd hynny, na fydd yr un dyddiadur na'r un bod dynol yn debygol o'i oroesi.

Bu darllen y ddau ddyddiadur yn gysur i minnau, yn help i dawelu'r ofnau a cheisio ailgynnau'r berthynas â geiriau. Yn ara bach y digwyddodd hynny, mae'n wir, ond fe ddigwyddodd, diolch byth.

Pan na fydd yr eisiau gwneud yn ddigon i drechu amgylchiadau a'r hen ysfa fel pe wedi chwythu'i phlwc, mae angen help o'r tu allan i gadw'r fflam ynghyn. A'r sbardun hwnnw, i mi, oedd comisiwn gan Radio Cymru i ysgrifennu drama chwe phennod ar *Streic Fawr y Penrhyn*. Dau Aled oedd wrth y llyw, Aled Glynne Davies, golygydd Radio

Cymru, ac Aled Jones, y cynhyrchydd. Rhag digwydd fod rhywun heb wybod hanes cythryblus Chwarel y Penrhyn, Bethesda rhwng 1900 ac 1903, dyma fenthyca o erthygl a gyhoeddwyd yn *Y Cymro*:

Mae Streic y Penrhyn yn ddigwyddiad sydd wedi ei serio ar gof y genedl, wrth i'r cloi allan fel y galwai'r chwarelwyr ef barhau am dair blynedd.

Bu'r tair blynedd hyn yn gyfnod caled lle chwalwyd perthnasau, teuluoedd ac ysbryd wrth i weithwyr ddychwelyd yn raddol oherwydd caledi, cael eu labelu'n fradwyr a dioddef gwawd ac ymosodiadau.

Ond mae'r hyn ddigwyddodd yn llawer mwy cymhleth na hynny. Roedd yn rhaid imi, cyn dechrau ysgrifennu, ddod yn gyfarwydd â'r ffeithiau. Golygai hynny ddarllen popeth oedd ar gael, yn cynnwys pentyrrau o bapurau newydd y cyfnod, oherwydd fod gan bob cyfrol a phapur ei ogwydd ei hun. Gan nad ydw i'n honni bod yn hanesydd, roedd cael y ffeithiau'n gywir yn hanfodol. Gallwn ymlacio ryw gymaint wedyn a chanolbwyntio ar y bobol. Ynddyn nhw, fel bob amser, yr oedd fy niddordeb i. Ro'n i eisiau gwybod sut yr oedd y streic yn effeithio arnyn nhw fel unigolion ac ar eu perthynas â'i gilydd fel aelodau o deuluoedd a chymdeithas. Er imi gael fy nhemtio i ailddarllen *Chwalfa*, T. Rowland Hughes, ei rhoi o'r neilltu wnes i er mwyn cael rhyddid i weld y cyfan drwy fy llygaid fy hun. A' i ddim i fanylu ar y cymeriadau, dim ond dweud fy mod i wedi elwa'n fawr ar ddod i'w nabod nhw. Ia, hyd yn oed yr Arglwydd Penrhyn ei hun. (Os wyt ti wedi darllen cyn belled â hyn, John Ogwen, bydd yn barod – mae rhagor i ddod!)

Daeth ysgrifennu ar gyfer y radio â'r ddisgyblaeth yr o'n i ei hangan ar y pryd. Yn fy marn i, hwn ydi'r cyfrwng anoddaf o'r cyfan gan ei fod yn dibynnu bron yn llwyr ar eiriau ac yn pwysleisio'r perygl rhwng y dweud gormod a'r dal yn ôl. Mae'r un peth yn wir o safbwynt gwaith ymchwil. Oherwydd fod hwnnw wedi golygu tymor hir o chwilota dyfal, y demtasiwn ydi ceisio cynnwys popeth. Mae gofyn bod yn ofalus rhag gadael i'r ymchwil reoli, yn arbennig mewn cyflwyniad dramatig. Clywed llais a dychmygu llun y mae'r gwrandawyr radio. Mewn cynhyrchiad fel hwn, roedd yn rhaid wrth gymorth synau cefndir i greu awyrgylch. Dim ond eu hawgrymu wnes i. Aled Jones oedd â'r broblem o'u cyfleu. Go brin i mi sylweddoli ar y pryd gymaint o dasg oedd hynny. Gwyn Thomas, yn ei adolygiad, sy'n tynnu sylw at y trafferthion o ail-greu cyfnod, mynd yn ôl ganrif, a chael gwared o synau ein dyddiau ni fel ceir, awyrennau a ffonau symudol:

> Mae drysau heddiw'n cau'n wahanol, sŵn esgidiau heddiw'n swnio'n wahanol ar loriau gwahanol i rai ganrif yn ôl, a dydi llyfrgell-synau helaeth y BBC ddim yn ddigon i oresgyn pob anhawster.
>
> Yn niffyg yr awyrgylch priodol fe aethpwyd i Amgueddfa Chwarel Llanberis a recordio rhai rhaglenni o'r gyfres yn nhai chwarelwyr a ddymchwelwyd ym Mlaenau Ffestiniog a'u hailgodi ar dir yr amgueddfa.

Rydw i'n dweud yn rhywle imi gael mwynhad mawr o'r ymchwilio a'r creu, ac mae'n rhaid fod hynny'n wir gan imi ddychwelyd i Fethesda deirgwaith yn ystod degawd cyntaf y ganrif newydd.

33

Cyfrol fach yng nghyfres Scholastic ydi *Fy Hanes i: Streic* a gyhoeddwyd yn 2004, ond nid addasiad. I Lwybrmain, Douglas Hill, Bethesda, Sir Gaernarfon, Cymru, Prydain Fawr, Y Byd y mae Ifan Evans yn perthyn. Ond er mai dyna sgrifennodd o ar dudalen flaen y dyddiadur – copi bwc a gafodd yn anrheg Nadolig yn 1889 – y sylw sy'n dilyn ydi'r un allweddol:

Mae 'na fap o'r byd ar y wal yn ysgol Bodfeurig. Dim ond sbotyn ydi Cymru arno fo, a dydi Prydain Fawr hyd yn oed, er ei bod hi mor bwysig, yn ddim ond tamad bach.

Ond mae Llwybrmain, Douglas Hill, yn ddigon mawr i mi.

Peth braf oedd cael benthyg llygaid a chlustiau Ifan; rhannu'i ofidiau a methu deall pethau ar adegau, gwylltio a chodi dyrnau efo fo dro arall. Er ei fod yntau'n gorfod cymryd arno weithiau, rhag peri poen i'w fam yn fwy na dim, mae'r copi bwc yn rhoi cyfle iddo fod yn fo'i hun ac yn gwbwl onest, fel na all ond plentyn fod. Fy ngeiriau i ydyn nhw, ond rydw i'n gobeithio imi allu cyfleu rhywfaint o wewyr meddwl hogyn bach Llwybrmain pan glyw fod Tom, ei frawd, a dyngodd na fyddai byth yn ildio, wedi troi'n fradwr:

l Chwaral Braich y Cafn y bydd Tom yn mynd. Mam ddaru orfod deud wrtha i ei fod o wedi rhoi ei enw. Roedd o'n ormod o lwfrgi i ddeud. Er ein mwyn ni'n dau mae o'n gneud hyn, medda hi. Ond ofynnas i ddim iddo fo neud y fath beth. Ofynnodd hitha ddim chwaith, ond fedar Tom ddim diodda'n gweld ni mewn angan, nac edrych arna i'n gorfod mynd i'r ysgol ar ddim ond crystyn sych sawl bora, a thylla mawr yn yr unig bâr o sgidia sydd gen i. 'Mae pawb 'run fath,' medda fi. 'Pawb ond plant bradwrs.'

Ond mi fydda inna'n un ohonyn nhw rŵan.

Ystyr Bethesda yn ôl y Beibl ydi 'tŷ tangnefedd'. A dyna ran o deitl parod i'r nofel, *Rhannu'r Tŷ*, a gyhoeddwyd yn 2003. Rhes o dai a phaen gwydr yn graciau i gyd a welir ar y clawr; y tai yn fychan ac unffurf a'r gwydr yn fawr a bygythiol. Pentref Bethesda (tref, yn ôl rhai) ydi'r 'tŷ' a hwnnw'n cynnwys cartrefi, capeli ac eglwysi, tafarndai ac ysgolion – y gymdeithas a rannwyd oherwydd y streic. Un rhes o dai'n cynrychioli cymdeithas gyfan a'r craciau'n greithiau sy'n dal i blycio hyd heddiw.

Mynd 'i'r tŷ' y byddai capelwyr ers talwm, fel pe baen nhw'n sôn am fynd adra. Efallai ei fod yn gyfystyr ag ail gartref iddyn nhw ac yn fwy tangnefeddus nag ambell gartref go iawn. Mae'n anodd i ni heddiw, ac yn amhosibl i rai, amgyffred pwysigrwydd y capel, ac ofer fyddai ceisio egluro'r grym a'r dylanwad a fu gan grefydd unwaith. Fel un o blant bach a mawr Iesu Grist, a wyddai am y rhincian dannedd a thân uffern, roedd gen i syniad eitha da o'r hyn oedd yn fy nisgwyl pe bawn i'n meiddio torri un o'r Deg Gorchymyn, er imi ddod i sylweddoli yn ystod blynyddoedd y cwestiynu a'r amau pa mor ormesol y gallai'r crefydd hwnnw fod.

Fûm i erioed yn dyst i gosb y 'torri allan o'r seiat' ond rydw i'n cofio clywed sôn am hynny a methu'n lân â deall sut y gallai pobol oedd yn eu hystyried eu hunain yn Gristnogion fod mor gas a chreulon. Onid eu dyletswydd nhw oedd maddau ac estyn llaw? Nid fy lle i, yn ifanc a dibrofiad, oedd amau a gweld bai, dim ond cau ceg a derbyn y drefn. Ond mi wyddwn, hyd yn oed bryd hynny, petai'r un peth yn digwydd i mi, na fyddwn i byth bythoedd yn erfyn am gael fy nerbyn yn ôl. Dyna un rheswm pam na fu gen i erioed fawr i'\• ddweud wrth Dduw'r Hen Destament er fy mod innau, fel y rhan fwyaf ohonon ni, yn ddigon parod i weld y brycheuyn heb weld y trawst yn fy llygad fy hun.

Dydw i ddim mor gibddall, fodd bynnag, â haeru nad oedd i'r crefydd hwn ei fanteision. Bron nad o'n i'n cenfigennu wrth John Williams, y blaenor gweld-bai-ar-bawb, wrth imi ysgrifennu diweddglo *Rhannu'r Tŷ*:

Ar ei weddi, gofynnodd John Williams i'r un Duw faddau iddynt am fethu dod allan o'r ffwrn dân yn well a phurach dynion. Erfyniodd arno dywallt ei ras i galonnau oedd wedi caledu yn nydd profedigaeth a'u cynorthwyo i oresgyn pob maen tramgwydd a osodid ar eu llwybrau fel y byddent, trwy gyfrwng gweddi ac addoliad, yn deilwng o'i gariad a'i ofal mawr drostynt.

A gallwn deimlo'r ias o glywed llond capel o ffyddloniaid yn canu'r emyn oedd wedi eu 'cynnal yn ysbrydol ac wedi diogelu'r Tŷ ar waetha'r stormydd' – eu hemyn hwy:

O! Arglwydd Dduw rhagluniaeth
Ac iechydwriaeth dyn,
Tydi sy'n llywodraethu
Y byd a'r nef dy hun:
Yn wyneb pob caledi
Y sydd neu eto ddaw,
Dod gadarn gymorth imi
I lechu yn dy law.

Roedd portreadu'r gymdeithas yn golygu cael trawstoriad o gymeriadau, yn ddynion a merched, ifanc, canol oed a hŷn, yn grefyddwyr a gwrthgilwyr. Er bod ymateb pob un ohonynt yn wahanol, ni allai neb sefyll o'r neilltu. Llwyddodd ambell un i ddal yn gadarn wrth y gred mai rhyfel cyfiawn oedd y streic a bod Duw o'u plaid. Ceisiodd rhai frwydro drwy gyfrwng geiriau, eraill â dyrnau. Yn y rhaniad hwn, gwelir pobol ar eu gorau a'u gwaethaf, yn ceisio ymdopi nid yn unig â'r frwydr allanol ond â'r frwydr fewnol sy'n bygwth chwalu perthynas a chyfeillgarwch.

Yn ei chyflwyniad i'r nofel *Rhannu'r Tŷ*, fel hyn y mae Bethan Mair, y golygydd, yn disgrifio'r brwydro:

Nid nofel sy'n delio â'r du a'r gwyn, y da digwestiwn a'r drwg di-ildio, yw hon. Ceir yma galeidesgôp o lwyd, fel cerrig chwarel, a chaiff y darllenydd ei herio'n fynych wrth ystyried y syniad o'r hyn sy'n iawn.

Nid dychmygol mo'r cymeriadau i gyd. Roedd eraill yn mynnu eu rhan ynddi; rhai fel David Lloyd George, y gŵr busnes lleol, W. J. Parry, rheolwr y chwarel, Emilius Augustus Young a'r perchennog, George Sholto Douglas-Pennant, wrth gwrs.

Ar y pedwerydd ar ddeg o Dachwedd, 1903 derbyniodd Arglwydd Penrhyn y llythyr hwn oddi wrth Henry Jones, cyn-gadeirydd Pwyllgor y Streic:

My Lord,
It is my duty to inform you that your late quarrymen have by a majority of those who recorded their votes determined that the struggle is now to be considered as ended.

I remain, My Lord,
Your obedient servant,
Henry Jones.

Dridiau'n ddiweddarach, daeth yr ateb, a'r clo ar dair blynedd o frwydro wedi'i gywasgu i un frawddeg;

Sir,
I beg to acknowledge the receipt of your letter dated 14 November.
I am,
Yours,
Penrhyn.

Dyma'r dyn a haerodd:

All the letters I have received have confirmed my conviction throughout the troubles that I wasn't as black as I was painted and that the line I took was the right one.

Fy nghyfrifoldeb i fel awdur, yn *Rhannu'r Tŷ* fel ym mhob cyfrol arall, oedd bod yn ddiduedd ac osgoi'r du a'r gwyn. Roedd yr unben pwerus yn hawlio'r un ymdriniaeth â phawb arall. Ei eiddo fo oedd y chwarel, i wneud fel y mynnai â hi. Yn anffodus, roedd ar y chwarelwyr lawer mwy o'i hangan. Ro'n i am iddyn nhw ac aelodau eraill y gymdeithas gael dweud eu dweud mewn sawl dull a modd. Ceisio creu darluniau o'r ffeithiau, a chaniatáu i'r darllenwyr farnu drostynt eu hunain. Wn i ddim beth oedd eu hymateb, ond mae yna ymysg y torion un adolygiad gan Meg Elis. *'Bychanfyd o bobl go-iawn'* a welodd hi rhwng cloriau *Rhannu'r Tŷ*:

Cymeriadau'r ddwy ferch, Grace a Laura, sy'n sefyll allan, ond nid ar draul y darlun cyfan; y maen nhw yng nghanol yr holl boen – felly hefyd eu teuluoedd, ac felly hefyd y 'tŷ' ei hun – Bethesda, sy'n gymaint cymeriad â'r un. Hanes yr hollti sydd yma. Hollt rhwng cyfeillion, rhwng cariadon, hollt ym meddyliau pobl, teyrngarwch yn tynnu bob ffordd. Mae'r cefndir yn ffeithiol, ond y boen yn gyffredinol oesol.

Rywdro'n ystod y cyfnod hwn, dychwelodd y fyfyrwraig amharod i Fangor i gael ei derbyn yn Gymrawd er Anrhydedd o'r Brifysgol, heb orfod astudio na sefyll arholiad. Er bod anrhydeddau'n bethau i'w croesawu, ychydig iawn o ddefnydd wnes i o'r Gymrodoriaeth a'r radd Meistr yn y Celfyddydau. Yr hyn sy'n aros ydi'r cof o wên hyfryd yr Archesgob Tutu yng Nghaerdydd a chwmni difyr y dramodydd Wil Sam ym Mangor.

Dychwelyd wnes i, hefyd, dair blynedd yn ddiweddarach, at bobol Bethesda yn *Carreg wrth Garreg*. Ro'n i'n gyndyn o ollwng gafael ac yn ysu am gael gwybod be oedd wedi dod ohonyn nhw. Cyn i chi ddweud, mi wn i mai fi oedd i benderfynu hynny, gan nad oedd y fath rai â Laura a Tom, Edward, Daniel a Grace Ellis, Bristol House, na hyd yn oed Ifan bach Llwybrmain yn bod. Ond roeddan nhw'n bod i mi.

Mae'r streic drosodd ers ugain mlynedd er na fydd ei heffeithiau byth drosodd, Grace wedi gorfod cefnu ar addysg er mwyn gofalu am ei thad a'r siop, a Daniel yn weinidog y Capel Mawr ym Mlaenau Ffestiniog. Ia, y Blaena. Ni allaf ddianc rhag hon!

Ni fedrais i, mwy na neb arall mae'n debyg, gymryd at Daniel Ellis, ond mi wn i'n dda am rai digon tebyg iddo. Dyn dan ormes ei grefydd ydi hwn; un sy'n gallu cyfiawnhau ei weithredoedd drwy ddweud iddo gael cadarnhad o hynny gan yr unig Un sydd â hawl i farnu. Er fy mod i'n teimlo weithiau fel gafael ynddo a'i ysgwyd nes bod ei ddannedd yn rhincian, mae arno gymaint o angan ein tosturi â Laura, ei wraig, na ŵyr sut i beidio'i garu ac sy'n llwyddo i'w pherswadio ei hun fod modd gwireddu breuddwydion, ar waethaf popeth.

Yn y broliant ar y clawr cefn, ceir y geiriau hyn:

Anodd gweld sut y gellir byth ailgodi muriau tŷ tangnefedd
– yn enwedig gan fod creithiau newydd wedi hagru'r lle yn
sgil y Rhyfel Mawr.

Rhoi carreg wrth garreg i adeiladu tai gweithwyr ar ei stad
wnaeth Arglwydd Penrhyn a mynnu'i hawl arnynt, fel ar y
chwarel ei hun. Ond, er creithiau streic a rhyfel, mae gan
rai fel Grace Ellis a Magi'r forwyn well eli i'r galon na phaned
o de. Brwydro ymlaen fydd hanes eraill gan geisio tynnu
cysur o'r geiriau a roddodd nerth a gobaith i Ifan, y conshi
bach, unwaith:

Ond daliaf i garu
A daliaf i gredu
Fod gobaith i'r ddaear a Duw yn y nen,
Fe ddaw fy mreuddwydion rhyw ddiwrnod i ben.

Ac felly y bu'n rhaid imi eu gadael. Ond mi fydda i'n dal i
feddwl weithiau be, tybed, ddaeth ohonyn nhw wedyn.

34

Byddai Llew a minnau'n ymwelwyr cyson â llyfrgell y Blaena. Roedd i bob nos Wener gyffro dydd Nadolig a'r llyfrau benthyg gystal ag anrhegion. Wedi'u harchebu ymlaen llaw yr oeddan nhw gan amlaf. Doedd fiw prynu rhagor gan fod pob silff yn orlawn. Felly, dros y blynyddoedd, y daeth cyfrolau diweddaraf ein hoff awduron i'n rhan, fel blodau border bach mam Crwys.

Yno y digwyddais daro ar y gyfrol *Hana's Suitcase* gan Karen Levine. Adra â fi ar f'union a'i darllen ar un eisteddiad. Roedd y disgrifiad hwn o'r cês yn ddigon i beri imi benderfynu'n syth bìn na chawn eiliad o lonydd nes mynd ati i'w haddasu:

Dydi o ddim ond cês cyffredin iawn yr olwg, o ddifri. Braidd yn rhacsiog o gwmpas yr ymylon ond mewn cyflwr da ...

Daw plant i amgueddfa fechan yn Tokyo, Siapan bob dydd i weld y cês hwn. Mae'n gorwedd mewn cwpwrdd gwydr. Ac fe allwch weld drwy'r gwydr fod ysgrifen ar y cês. Mewn paent gwyn, ar y caead, mae enw geneth, Hana Brady. A dyddiad geni: Mai 16, 1931. Ac un gair arall: Waisenkind. Dyna'r gair Almaeneg am blentyn amddifad.

Fe ŵyr plant Siapan fod y cês wedi dod o Auschwitz, gwersyll crynhoi lle bu dioddef mawr a lle bu miliynau o bobl farw rhwng 1939 ac 1945. Ond pwy oedd Hana Brady? Un o ble oedd hi? Beth oedd ganddi yn ei chês?

Ni fu'n rhaid imi holi a stilio na darllen pentyrrau o hen bapurau. Roedd Fumiko Ishioka, cyfarwyddwraig Amgueddfa'r Holocost, eisoes wedi gwneud y gwaith ymchwil.

Fel *Dyddiadur Anne Frank*, mae stori Hana'n tanlinellu'r anghyfiawnder a brofodd yr Iddewon yn ystod yr Ail Ryfel Byd. Iddewes fach o Tsiecoslofacia oedd hi, yn byw efo'i rhieni a George, ei brawd mawr, uwchben eu siop bob peth yn Nove Mesto. Er bod yna rai teuluoedd eraill o Iddewon yn byw'n y dref, Hana a George oedd yr unig blant Iddewig. Yn ystod y blynyddoedd cynnar, nid oedd neb yn sylwi nac yn malio eu bod nhw'n wahanol. Ond cyn bo hir, byddai'r ffaith mai Iddewon oeddan nhw'n bwysicach nag un dim arall. Oherwydd hynny, cafodd Hana ei hanfon i Auschwitz yn dair ar ddeg oed, ac yno, yn un o'r siamberi nwy, y daeth ei bywyd byr i ben.

Gan George Brady, brawd Hana, oedd wedi llwyddo i oroesi'r rhyfel, y cafodd Fumiko atebion i'r cwestiynau, ac mae hanes y chwilio dyfal hwnnw a'i ganlyniad yn ddrama ynddo'i hun. Cyfeiriodd Glyn Evans at y gyfrol fel '*stori ysgytiol a dirdynnol yn dangos y natur ddynol ar ei gwaethaf ar y naill law a'i dewraf a mwyaf dyrchafol ar y llall.*'

Er bod *Cês Hana* wedi'i bwriadu ar gyfer plant 9–11 oed, mae Cathryn Gwynn yn pwysleisio yn ei hadolygiad hi ei bod yn gyfrol i bob oed. Mae'n ddigon posibl na fyddwn wedi taro arni'r noson honno oni bai iddi fod wedi'i chynnwys, ar ddamwain, ymhlith y llyfrau i rai hŷn. (Rydw i'n gwrthod defnyddio'r term 'oedolion' gan fod yn gas gen i'r gair.) Er nad ydw i'n credu mewn ffawd ... efallai y dylwn i.

A'r ddau air bach, *Oni Bai*, ydi teitl y gyfrol storïau byrion a gyhoeddwyd yn 2005. O'r stori gyntaf, 'Un, dau, tri', y tarddodd y teitl hwnnw, mewn sgwrs rhwng Trefor ac Anti Bet, drws nesa. Mae'n ddiwrnod poeth a Bet Morgan wedi cael ei deffro o gwsg braf ar fainc yn yr ardd gan glep y giât a sŵn traed mawr Trefor yn chwipio drwy raean y llwybr:

'Cysgu oeddach chi?'

'Trio 'te. Taswn i wedi ca'l llonydd.'

'Sori. Mewn ydi'r lle gora i chi ar dywydd fel'ma. Ydach chi isio help i godi?'

'Na, mi wna i yn fy amsar fy hun. Dos di adra at dy fam. Mi dw i wedi bod yn poeni'n 'i chylch hi.'

'Pam, 'lly?'

'Dydw i ddim wedi gweld golwg ohoni drwy'r dydd. Y gwres yn deud arni falla.'

'Siŵr o fod. Dydach chitha ddim yn edrych rhy dda.'

'Mi faswn i'n iawn oni bai am y gwybad bach 'ma. Maen nhw'n fy myta i'n fyw.'

'Mi fydda pawb yn iawn oni bai am rwbath.'

Mae'r ddau air, yn ôl rhai, '*yn cynnig rhyw lun ar fwch*

dihangol rhag hualau cyfrifoldeb'. Dipyn o lond ceg! Beio'r storm wnaeth pobol Minafon yn *Mis o Fehefin.* Beio'r teyrn o Lord wnaeth pobol Bethesda. Beio'i gilydd wnaeth Siân a Gareth. Pan fydd pethau'n mynd o chwith, rhyddhad i'r rhan fwyaf ohonon ni ydi cael bwrw'r bai ar rywun neu rywbeth arall. Er nad ydi hynny'n ateb dim, fe all wneud inni deimlo'n well, dros dro, drwy gymryd arnom mor wahanol y gallai pethau fod ... oni bai.

Yr hwiangerddi yr ydan ni mor gyfarwydd â nhw oedd y man cychwyn, yn cynnwys y pry a ddaliodd Mam, y mul bach oedd yn gwrthod symud, a'r fenyw fach hael o Gydweli. Ond yma, geneth â dwy gyrlen felen o boptu'i thalcen ydi'r ddafad gorniog, y ceffyl bach yn feic a'r losin du'n gyffuriau. Henry, meistr y cartref plant, oedd â gwendid am hogia bach ydi'r moelyn wy melyn a mul o ddyn ydi Ifor, ond pry go iawn ydi'r pry!

Pobol yr ymylon ydyn nhw; y rhai anffodus sy'n fwy na pharod i wneud defnydd o'r oni bai:

Mae 'na ambell un sy'n ddigon lwcus i gael ei eni â llwy aur yn ei geg, ond mae'r rhan fwya'n dibynnu ar lwyau plastig a rhai'n gorfod gneud heb lwy o unrhyw fath; pobol sydd wedi'u geni i fod yn anlwcus am ryw reswm neu'i gilydd, weithiau heb reswm o fath yn y byd. Un o'r rheini oedd Glyn Siop. Dwy law chwith, dau droed chwith, a golwg byr. Fe fu'r sbectol gwydra-gwaelod-potal-lefrith yn help iddo ffeindio'i ffordd o gwmpas, ond doedd 'na ddim byd allai neb ei wneud ynglŷn â'r dwylo a'r traed.

Anlwc Glyn, *Pwdin yn brin*, oedd cael ei eni'n ŵyr i'r hen sglyfath, Parry Gelli; i'r Ladis, cael eu magu gan dad o weinidog a'i wraig, oedd yn ei chael yn anodd gwahaniaethu rhwng ei gŵr a'i Dduw ac na allodd erioed alw'r naill na'r llall yn ddim ond 'chi'; ac i Ifan bach ei fod wedi cael ei eni o gwbwl.

Rydw i'n cofio ffrind yn holi sut y gwyddwn i am y fath bobol. Doedd fy rhywbeth gwahanol i erioed wedi cynnwys ymhél â chyffuriau na dioddef trais corfforol ac ni fu'n rhaid i mi ddibynnu ar lwy blastig chwaith. Ond ro'n i eisiau gwybod mwy amdanyn nhw, byw efo nhw am sbel, a dod i'w nabod. Mi ddois yn hoff iawn ohonyn nhw, yn arbennig yr hogyn dienw aeth ymhell y tu draw i Ddolgellau efo un dros ben y fenyw fach. Ond nid felly roedd pawb yn gweld pethau. Mae Elinor Wyn Reynolds, yn ei hadolygiad hi, yn cymharu'r gyfrol â choeden Nadolig chwerw a '*phob un o'r peli addurniadau ych-a-fi yn cynnwys darlun o lwydni a diffyg, düwch a difaru*'.

(Cwestiwn i mi fy hun wrth fynd heibio – be fyddwn i wedi'i wneud heb y llyfrau torion 'ma, mewn difri? Ychydig o ymateb sydd i'w gael ar y gorau, a'r adolygiadau'n brinnach fyth. Er imi ddweud mai i mi fy hun y bydda i'n sgwennu ac y byddwn wedi dal ati i wneud hynny am na allwn beidio, mae unrhyw ymateb, er nad yn dderbyniol bob amser, yn werthfawr.)

Ro'n i wedi gobeithio y byddai'r darllenwyr yn rhannu fy nghonsýrn am yr hwyaid cloffion a'r defaid colledig yn hytrach na'u gweld fel rhai '*sydd wedi hanner marw ac yn hanner byw'*. Uwchben yr adolygiad mae'r gair 'siom' mewn llythrennau bras. Hen air bach digon cas ydi hwnnw ond rydw i, yn ôl Elinor, yn *'feistres ar siom'* yn fy sgwennu:

Mae rhywun yn meddwl am 'Minafon' fel cyfres deledu oedd yn dangos siomedigaeth a diflastod bywyd yn rhy real o lawer ... 'Life's a bitch', falle – yn bendant yn 'Oni Bai' ... Mae'r storïau'n llawn pobl yn gwrthod dweud yr hyn maen nhw'n ei feddwl, yn tagu ar eiriau mudan, neu'n sgrechian oddi mewn yn pledio i adael rhyw sefyllfa affwysol sydd am eu mygu, ond fel arfer yn methu symud cam o'u man diflas. Mae'r darllen yn gadael rhywun yn teimlo rhyw anniddigrwydd wedi byw ym myd yn gyfrol am dro. Fel cwlwm cain, mileinig, mae'r sefyllfaoedd yn tagu dyn fel y maen nhw'n tagu'r cymeriadau yn y straeon. Ond fyswn i ddim wedi peidio â darllen y gyfrol, er bod y tyndra, y gwacter bron â'm sigo i.

Wrth gystadlu, neu gyhoeddi llyfr, mae awdur yn ei roi ei hun yn agored i feirniadaeth a rhaid iddo fo neu hi ystyried y sylwadau a chnoi cil arnyn nhw. Rydw i wastad wedi gochel rhag ymateb i ymateb, ond dyma fanteisio am unwaith ar y cyfle i wneud hynny, nid er fy mwyn fy hun ond ar ran pob un sy'n dibynnu ar yr 'oni bai'. Ydi, mae bywyd yn gallu bod yn bitsh ond mae o hefyd yn werth ei fyw ar adegau, fel y gwn i'n dda, er fy mod i'n ei chael hi'n anodd deall sut mae rhai pobol yn gallu gwenu'n ddi-baid. Yr un na wêl unrhyw achos i wenu sy'n ennyn fy nghydymdeimlad i; y rhai sy'n methu dweud ac yn sgrechian y tu mewn. A finna'n ddiymadferth, heb allu cynnig na chysur na gobaith, ac yn adleisio geiriau A. E. Housman:

> I, a stranger and afraid
> In a world I never made.
> They will be master, right or wrong;
> Though both are foolish, both are strong.
> And since, my soul, we cannot fly
> To Saturn nor to Mercury,
> Keep we must, if keep we can,
> These foreign laws of God and man.

35

Mae'n siŵr gen i mai 2006 oedd man gwyn y degawd er fy mod i'n rhy nerfus i allu mwynhau seremoni'r Coroni yn Abertawe. Fe ddwedodd ffrind wrtha i fy mod i'n edrych fel pe bawn i ar dorri i grio unrhyw funud. Efallai mai dim ond ymdrech oedd hynny i osgoi'r wên wirion, falch a'r ofn o faglu'n y wisg or-laes. Mae'n well gen i gofio'r bora y derbyniais y newydd drwy'r post a'r llawenydd o gael ei rannu efo Llew. Dim ond rŵan, a finna ar fy mhen fy hun, yr ydw i'n llawn sylweddoli gwerth y rhannu hwnnw.

Roedd i'r testun 'Fflam' apêl o'r dechrau a'r thema fel petai'n ei chynnig ei hun. Er na fydda i'n peintio darluniau bach o flodau a chalonnau ar ddodrefn, fel y gwnâi Sylvia Plath, gwrthrych y cerddi, coch ydi fy hoff liw innau:

> Coch yw ei lliw hi.
> Lliw llanw'r gwaed
> wrth iddo hyrddio'n
> erbyn arglawdd y galon.
>
> Lliw'r briwiau cignoeth,
> y llynnoedd heli,
> a'r creithiau
> na allant byth fagu croen.

Lliw'r chwistrell geiriau
nad oes atal arnynt
yn mynnu, â sgrech eu geni,
eu hawl i fyw ...

Yr ystafell hon
yw ei cherdyn Ffolant
a phob gofod bychan gwyn
wedi'i ysgeintio â chalonnau
a rhosynnau.

Defnynnau gwaed
o eigion ei chalon,
a'r gorlif cariad
yn ceulo'n y coch.
Ei lliw hi.

Wedi imi ei dilyn hyd goridorau Coleg Smith ac Ysbyty
McLean, i'w phriodas yn Eglwys San Siôr y Merthyr, i rostir
Haworth a gardd Court Green, teimlwn fy mod i'n ei nabod
hi'n ddigon da i allu mentro hyd at 'Y ffarwel perffaith', yr
hunanladdiad a gynlluniodd Sylvia mor fanwl fel nad oedd
methu i fod, a'r darlun ysgytwol o'r ddau blentyn bach a
arbedwyd:

Rhaid cloi'r drws, selio'r ffenestri
rhag yr helwyr,
yr holl feirwon annwyl.

Taenu'r bara a'r llaeth
wrth erchwyn y ddau garcharor bach
ac agor eu ffenestr yn llydan
i adael yr yfory i mewn ...

Dyma'r ffarwel perffaith,
mor bropor,
mor lân,
heb un dafn gwaed
i staenio'r ehangder gwyn
na'r un sgrech
i rwygo'r tawelwch.

Dewis Ted Hughes, ei gŵr, oedd y dyfyniad ar y garreg fedd
yn Heptonstall – 'Hyd yn oed ymysg fflamau ffyrnig gellir
plannu'r lotws aur'.

Ond nid dyna'r diwedd. Fy ymateb personol i o ddarllen
ei barddoniaeth a'i nofel rannol hunangofiannol, *The Bell
Jar*, sydd yn y gerdd olaf, 'Y lotws aur':

Mae rhywbeth yn ystwyrian
rhwng tudalennau'r llyfr ...
Mentraf ei agor.
Mae arogl mwg melys
yn pigo fy ffroenau
a gwelaf
y ffenics o fflam
a allodd wrthsefyll

yr holl fflamau ffyrnig
yn fflachio,
cydio,
chwyddo,
blodeuo.
Â'r llwch aur yn glynu wrth fy mysedd,
ildiaf fel gwyfyn
i anwes gormesol
gwe'r petalau.

Mae Sylvia Plath, fel Ann Dolwar, Anne Frank a Kate Cae'r
Gors yn dal i fyw, eu geiriau'n ystwyrian rhwng y tudalennau
ac yn mynnu'r hawl i hedfan.

36

Mi ges i, beth bynnag am neb arall, fwynhad mawr o ysgrifennu fy nofel gyntaf, a'r olaf, yn Saesneg. Efallai mai ysfa am gael dianc i'r gorffennol dros dro, gan osgoi iaith Maenofferen, oedd yn gyfrifol am y newid iaith. Y cwbwl wn i ydi fod y ddihangfa honno fel chwa o awyr iach a 'mod i'n teimlo'n rhydd i allu rhusio drwy'r strydoedd cyfarwydd, yn hogan fach ddiofal unwaith eto. Nid yn gwbwl ddiofal chwaith. Roedd yna o hyd rai ofnau'n mudferwi ym mhwll y stumog. Ac efo un o'r pyliau poen bol sy'n dal i gorddi hyd heddiw y mae *Return Ticket* yn dechrau:

The first sound 1 hear is laughter. Following its trail, 1 come to a small, warm room, where a girl, her cheeks flushed with delight, is saying, 'Tell it again, Dad. Just once more.' He, as obliging as ever, retells the story. 1t's about this man who used to repeat the same prayer every night:

> *Remember me and my wife,*
> *Our John and his wife,*
> *Us four, no more, Amen.*

The girl says goodnight and goes upstairs. 1n the tiny bedroom at the top of the stairs, everything she touches is cold and damp. Outside, the slate tips are coated with frost. Her fingers are numb as she struggles with the rubber buttons of her liberty bodice. She's troubled, but doesn't know why. Has she done something she shouldn't? She tries so hard to be good, to think of others, unlike the man who prayed only for 'us four, no more'.

Under the bedclothes, there is a warm nest waiting for her. She snuggles into it and closes her eyes. Perhaps she should apologize for not kneeling by the bed and plead forgiveness if she has offended, in any way, but all she does is ask God, as she does every night, to take care of her and Mam and Dad, Amen.

Rhyw fath o hunangofiant ydi hwn, debyg, er imi wneud defnydd helaeth o'r dychymyg, sy'n ymylu ar fod yn gelwydd weithiau. Ond fe all fod yn wir, hyd y gwn i. Mae'n ddigon posibl mai fi ydi'r Helen Owen sy'n adrodd y stori, yr un sydd eisiau bod yn dda ond ddim yn rhy dda ac yn sylweddoli na allai byth obeithio gallu camu i esgidiau rhodd-oddi-wrth-Dduw Anti Lisi.

Wedi galw yn Manod Road ar ein ffordd o fynwent Bethesda yr oedd Dad a finna un diwrnod:

Auntie Lizzie asks if we'd like a boiled egg with our tea and Nain Manod reminds her that they haven't got any eggs, for Mrs Jones' next door has stopped laying. Auntie Lizzie smiles and says, 'That's nice', for it's Sunday tomorrow and that means switching off to save the hearing aid battery.

I wonder if Auntie Lizzie has ever felt a shiver inside. I shouldn't think so. Her heart is like a hot water bottle that is never allowed to get cold. Nain Manod was right when she said God broke the mould when He made Lizzie because everyone I know, even my father, can't seem to stop that happening, and my heart needs refilling far too often.

Hon ydi hogan fach yr ysgol Sul nad ydi hi'n siŵr beth i'w wneud o'r Duw sydd eisiau maddau iddi a'i chosbi ar yr un pryd; yr un sy'n gwybod ei bod ar ei ffordd i uffern yng nghwmni Eleanor Parry ond yn swp sâl eisiau gwybod be oedd honno a Billy Jones yn ei wneud y tu ôl i Dwyryd Teras.

Mae i ambell olygfa eitha difrifol elfen o gomedi (rhywbeth digon od ydi fy synnwyr digrifwch i ar y gorau). Wedi picio i'r syrjeri ar ran ei thad i nôl potel o'r ffisig brown all wella pob aflwydd y mae Helen. Roedd y fath le yn bod, ond nid fel hyn yn union y digwyddodd pethau:

I knock on the door in the wall. It slides to one side and Miss Edwards peers out. Before I can tell her why I'm here she says, 'Number 14', and the door is slid back. Annie Griffiths, who's a member of our chapel, asks me, 'And what's wrong with you, Helen?' and when I whisper, 'It's my father' she turns to the woman sitting next to her, who's here to have her corns treated and her ears syringed, and booms,

'Did you hear that, Madge? Richard Owen cerrig beddi is in a bad way.'

'Is it the dust?' Madge asks.

'No, it's only a cold,' I say, but my words fall on four deaf ears. They're off, discussing the dangers of spending hours in damp graveyards and breathing in dust that clogs the veins and settles around the heart.

When number 12 is called out, Annie shouts,

'It's you next, Madge. Remember to tell him about your ears.' And Madge says, as she waddles away,

'He'll have them off in no time.'

Ai teimlo yr o'n i y dylwn wneud yn fawr o'r iaith fain am unwaith? Pam, tybed? Er mwyn manteisio ar y cyfle i fod yn ddigon rhyfygus ac anystyriol i ddryllio rhai o'r delwau efallai? Ond ro'n i'n dal yn rhy ofnus, yn rhy ymwybodol o'r 'na wna' a'r 'na chymer' i fentro gwneud hynny. Er mwyn profi i'r perthnasau yng nghyfraith yn Swydd Efrog a'r Alban fy mod i'n ddwyieithog? Go brin. Am y rheswm syml mai dyna oedd gen i awydd ei wneud ar y pryd.

37

I 2008 y perthyn y ddau gyhoeddiad nesaf. Portread o'n Kate Roberts ni, fel yr ydw i'n ei gweld hi, ac un o ddarlithoedd blynyddol Cae'r Gors, ydi *Dyna fy mywyd*, ac addasiad o hanes Edith Schwalb, Iddewes fach o Fienna, Awstria a geir yn *Stori Edith*; y naill yn tarddu o'r gyfrol Llên y Llenor a'r llall yn dilyn trywydd tebyg i *Cês Hana* a *Dyddiadur Anne Frank*.

Ar yr olwg gyntaf, does yna fawr o gysylltiad rhyngddyn nhw – 'popeth pwysig' wedi digwydd i Kate cyn 1917 ac Edith yn byw drwy gyfnod cythryblus yn hanes Ewrop, ugain mlynedd yn ddiweddarach. Ond mae'r ddau air, cartref a theulu, yn cydio'r ddwy. Cafodd Kate fach Cae'r Gors fwynhau cysur a diogelwch ei chartref, a'i theimladau hi ydi rhai Ann Owen, yn y nofel hunangofiannol *Tegwch y Bore*:

> Yr oeddynt yn deulu cyfan mewn ystyr fwy na rhif. Y teimladau cynnes yn llifo o un i'r llall heb eiriau uniongyrchol i fynegi hynny, dim ond mewn sgwrsio cyffredinol fel anelu at un peth a hitio peth arall. Ond fe wyddai pob un yn y bôn ei fod wrth ei fodd bod ar yr aelwyd gartref, ac nad oedd unrhyw le y dymunent fod ynddo yn well.

Roedd aelodau'r teulu 'i gyd fel llygaid ar yr un llinyn' ac ar 'yr un wifren o deimlad'. Iddi hi, ffaith oedd y cyfnod hwnnw, ond breuddwyd oedd gweddill ei heinioes.

Bu'n rhaid i Edith dreulio'i blynyddoedd cynnar wedi'i gwahanu oddi wrth ei theulu:

Wrth i fyddinoedd Hitler oresgyn un wlad ar ôl y llall gan godi braw ar y trigolion a chwilota am Iddewon, prin iawn oedd y mannau diogel.

Cafodd plant Iddewig eu cuddio mewn lleiandai, ffermdai unig, ysgolion preswyl a chartrefi plant amddifaid. Bu sawl teulu o Gristnogion yn ddigon dewr i roi cartref iddynt, er eu bod yn mentro'u bywydau wrth wneud hynny.

Math gwahanol o guddio oedd hwn.Yn aml iawn, byddai'r plant Iddewig yn byw'n agored, gan fabwysiadu enwau newydd a gorffennol ffug. Roedd gofyn iddynt fod ar eu gwyliadwriaeth bob eiliad. Byddai amryw ohonynt yn mynychu capel ac eglwys, gan gadw'u ffydd Iddewig yn gudd, a dysgu arferion a defodau dieithr. Bob amser yn ofnus, bob amser yn barod i symud ymlaen pan fyddai perygl yn bygwth, dyma'u hunig obaith o gadw'n fyw.

Profiad hapusaf bywyd Edith oedd yr aduniad yn 1945 â Mutti, ei mam, Gaston ei brawd, a Therese ei chwaer fach. Ond roedd y teulu Schwalb wedi'i fylchu ac, er holi, ni wyddai neb be oedd wedi dod o'r tad. Yna, un diwrnod, galwodd cefnder Edith, oedd wedi cael ei garcharu yn yr un gwersyll â Tada, heibio i'r fflat yn Beaumont-de-Lomagne gyda'r newydd y bu'r teulu'n arswydo rhagddo:

Pan ddaeth yr Americanwyr i Auschwitz i'w rhyddhau ar ddiwedd y rhyfel, roeddan nhw, yn llawn bwriadau da, wedi gorfwydo'r carcharorion. Wedi blynyddoedd o gael ei lwgu, roedd Tada'n un o lawer na allai eu cyrff ddygymod â'r bwyd,a bu farw drannoeth.

Ar glawr *Dyna fy mywyd*, mae llun o Dr Kate a gwên hiraethus ar ei hwyneb. Edrych yn ôl mewn hyfrydwch y mae hi, greda i, ar y bywyd na ddaeth dim chwerw ei flas allan ohono. Ym mis Mai, 1982, mi dderbyniais lythyr oddi wrthi'n dweud ei bod wedi cael blas mawr ar *Plentyn yr Haul*, ac yn diolch imi am fynd i'w gweld. Ond mae ynddo un frawddeg sy'n fy atgoffa o Owen bach, *Traed Mewn Cyffion* a'r 'biti 'te' – '*Mae pobl wedi fy anghofio fi erbyn hyn.*'

Chwe blynedd ar hugain yn ddiweddarach roeddan ni ym Melin Brwcws, Dinbych, yn talu teyrnged flynyddol iddi.

Rydw i am ei gadael yn gwenu ac am gefnu hefyd ar y peth dieflig hwnnw, rhyfel, gan ddyfynnu Wilfred Owen, y bardd o Groesoswallt fu'n llygad-dyst i'r erchyllltra. Mae'n ymddangos iddo gyflwyno'r gerdd yn wreiddiol i Jessie Pope, y propagandydd brwd gyda'i hanogaeth, '*Who's for the game?*'

Yma, mae Owen yn disgrifio milwr yn dioddef o effaith y nwy gwenwynig:

> If in some smothering dreams you too could pace
> Behind the wagon that we flung him in
> And watch the white eyes writhing in his face,
> His hanging face, like a devil's sick of sin;
> If you could hear, at every jolt, the blood

Come gargling from the froth-corrupted lungs,
Obscene as cancer, bitter as the cud
Of vile, incurable sores on innocent tongues, –
My friend, you would not tell with such high zest
To children ardent for some desperate glory,
The old Lie – Dulce et decorum est
Pro patria mori.

Yr hen gelwydd nad â byth yn angof – 'melys a gweddus yw marw dros dy wlad'!

38

Wn i ddim chwaith pam yr es i ati i lunio'r gyfrol *Hi a Fi* os nad am fod y gorffennol yn edliw mai ganddo fo yr oedd yr hawl ar y tocyn dychwel. Osgoi'r hunangofiant wnes i yma eto drwy ddefnyddio'r 'hi', Nesta, i amau a phigo beiau. Does gen i fawr ddim i'w ddweud wrth honno er bod gen i biti drosti. Ond roedd arna i ei hangan hi ar y pryd. Do'n i fawr gwell ar hynny fel mae'n digwydd gan nad ydi hi, mwy na fi, ond yn cofio'r hyn y mae hi'n dymuno'i gofio.

Pwy ydi'r Nesta 'ma, sy'n ymddangos wrth ddrws Helen un diwrnod ac yn ei chyflwyno ei hun gan ddweud:

'Dwyt ti ddim yn 'y nghofio i, nag wyt? Nesta, Stryd Capal Wesla.'

Ai hen ffrind ysgol, fel y mae hi'n honni, ydi hon?

'Doedd gen ti ddim syniad pwy o'n i, nag oedd?'

'Un sobor o wael am gofio wyneba ac enwa ydw i.'

'A ninna'n arfar bod gymaint o ffrindia. Amsar da oedd o, 'te?'

'Ia, mae'n debyg.'

'Mi fydda'n braf gallu troi'r cloc yn ôl, a chael bod fel roeddan ni.'

'Dydi hynny ddim yn bosib, diolch byth.'

'Be w't ti'n 'i feddwl ... diolch byth?'

'Fyddwn i'm yn dymuno gneud hynny.'

'Dydan ni i gyd ddim wedi 'i chael hi mor hawdd, 'sti. Ond mi ddaw petha i drefn unwaith y bydda i wedi symud yn ôl.'

'Yn ôl i lle?'

'Blaena. Yno rydw i'n perthyn.'

'Yno roeddat ti'n perthyn.'

A phwy ydi'r Helen Owen sydd bellach yn wraig briod ac yn nofelydd? Y cwbwl wn i ydi ei bod hi'n ddigon tebyg i mi.

Daw Nesta'n ôl i'r Blaena, o fewn tafliad carreg i Stryd Capal Wesla. Mae Helen yn rhoi'r gyfrol yr oedd yn gweithio arni o'r neilltu, yn agor ffeil newydd, ac yn gwybod, cyn i'r un gair ymddangos ar y sgrin, be fydd ei chynnwys. Eisiau neu beidio, roedd hithau, fel Nesta, yn mynd yn ôl.

Nofel ydi hon yn hytrach na hunangofiant; plethiad o ffaith a dychymyg. Camgymeriad ar ran Helen oedd gadael i Nesta ddarllen yr hyn y mae hi'n ei alw'n stori, i'w helpu i gofio gan fod dau ben yn well nag un:

Hwn fydd y tro cynta erioed i mi adael i rywun ddarllen fy ngwaith cyn fy mod i hanner ffordd trwyddo. Ar wahân i Elwyn, wrth gwrs. Gweld y bliws fydda i pan fydd o'n gofyn, 'Pam wyt ti'n deud hynna?' neu gynnig gwelliant, er fy mod i wedi gorfod cyfaddef fwy nag unwaith, mewn gwaed oer, mai fo oedd yn iawn.

'Gwrthod, dyna be ddylwn i fod wedi'i neud,' meddwn i wrth Elwyn. 'Be ddaeth drosta i, d'wad?'

'Munud gwan.'

'Uffernol o wan. Ond un fel'na oedd hi erstalwm, o ran hynny ... yn mynnu'i ffordd ei hun.'

'Ti'n siŵr nad Ann oedd honno?'

'Doedd 'na 'run Ann.'

'Falla bydd Nesta'n meddwl mai hi ydi Ann, gan eich bod chi'n ffrindia.'

'Dydi o ddim tamad o ots gen i be fydd hi'n ei feddwl.'

'Ond mae 'na rywfaint o Nesta ynddi hi, does, fel sydd 'na ohonat ti yn Helen.'

'Oes, am wn i.'

'Helen a fi ... fi a Helen ... pa un sy'n dod gynta?'

'Helen, bob tro.'

'Ac Ann a Nesta?'

'Dydw i'n hidio fawr am y naill na'r llall.'

'O, diar. A chdi ydi'r un sy'n deud y dyla fod gan bob awdur gonsyrn am ei gymeriadau.'

'Falla y bydda'n well i mi roi'r gora iddi, a thaflu'r blwmin lot i'r tân.'

Mae o'n gafael yn dynn amdana i ac yn plannu cusan ar fy moch.

'Dim ond herian o'n i. Fedri di ddim peidio malio, mi wn i hynny. Na rhoi'r gora iddi chwaith.'

Ar waethaf ymyrraeth beiro goch Nesta, y croesi allan, y marciau cwestiwn a sylwadau piwis fel 'pwy ydi hon/hwn?' a 'pam deud hyn?', tynged y tudalennau y bu honno'n treulio oriau'n eu 'cywiro' ydi cael eu rhwygo'n ddarnau a'u taflu i'r fasged sbwriel.

Methiant fu ymdrech Nesta i ddychwelyd i'r gorffennol ac mae'n gadael y Blaena. Ond er i Helen gredu iddi lwyddo i ddod yn rhydd o we'r ers talwm, dal i ymyrryd y mae'r 'hi' a'i gorfododd i fynd yn ôl:

Rydw i'n ôl wrth fy nesg ac yn syllu ar y sgrin unwaith eto. Mae llais yn sibrwd yn fy nghlust i,

'Lle ydan ni am fynd nesa?'

'Ni?'

'Chdi a fi, 'te.'

'Edrych ar hwn,' medda fi, a phwyntio ar yr atalnod llawn olaf. 'Dyma'i diwadd hi.'

'Os wyt ti'n deud. Ond chei di ddim gwarad â fi mor hawdd â hynna.'

Efallai y dylwn i ddiolch i Nesta am beri imi fy holi fy hun a bod yn ymwybodol o ddiffygion y cofio, ond mae'n well gen

YR WYRION

Teulu Bethesda

Teulu Dolwyddelan

Teulu Cerrigydrudion

Wrth fy nesg yn Lluest

Yng nghwmni Islwyn, cymwynaswr a ffrind

Y CŴN

Nel ac Efa

Mali

Dori

Coron Abertawe 2006

Y garafan ym Mae Galway

Ni'n dau yn y Steddfod

Stryd enwog cyfresi *Minafon*

John Ogwen fel Dic Pŵal, *Minafon*

Sue Roderick fel Magi Goch a Beryl Williams fel Gwen Elis,
Minafon (Llun: S4C)

Dic Pŵal (John Ogwen) yn sgwrsio efo Nesta (Siw Hughes)
Minafon (Llun: S4C)

Mis o Fehefin

Eigra Lewis Roberts

ETHOLAETH MEIRIONNYDD–DOSBARTH PLEIDLEISIO TREFEINI/T

RHIF   ENW A CYFEIRIAD

362–Maes y Coed

911   Jones, Ivor
912   Jones, Margaret
913   Davies, Ethel
914   Williams, John David
915   Williams, Glen M.
916   Parry, Idris
917   Parry, Menna

363–Mirafon

919   Huws, Nêl
920   Owens, Leslie
921   Owens, Pat
922   Harris, Gwen
923   Powell, Gwyneth
924   Powell, Lena
925   Powell, Richard J.
926   Lloyd, Rhianne
927   Murphy, Brian F.
928   Murphy, Eunice
929   Parry, Medwyn
930   Parry, Cenwyn
931   Ellis, David
932   Ellis, Gwen

378–Goreuwint

933   Lewis, Elin
934   Lewis, Roland
935   James, Polly
936   James, Frederick

MEHEFIN

S	LL	M	M	I	G	S
			1	2	3	4
5	6	7	8	9	10	11
12	13	14	15	16	17	18
19	20	21	22	23	24	25

Gomer

EIGRA LEWIS ROBERTS

Parlwr Bach

...y gwead
ym mêr y lluniad – mae'r lliwiau yno.

i gredu Helen, yr hogan fach o'r Blaena nad oedd hi'n bod o ddifri. A chytuno â Bethan Mair, sy'n gofyn yn ei herthygl 'Hi a Fi a'r Blaenau', *'Pa mor bwysig yw hi bod nofel led-hunangofiannol yn dweud y gwir?'*

Ond rydw i am roi'r gair olaf i Ceri Wyn Jones a welodd yn dda gyflwyno'r englyn hwn i mi a Helen Owen (a'u nofel hwy ill dwy):

> Hi a fi yw dy ddau fyd, yr hen fam
> a'r un fach yn unfryd;
> hi a fi yw'r cof o hyd.
> hi a fi yw dy fywyd.

Ymysg y torion, mae pedwar adolygiad o'r nofel. Er bod hynny'n beth i'w groesawu, rhai braidd yn arwynebol ydyn nhw ar y cyfan. Mi ges i gyfle yn ystod Mehefin 2010 i drafod adolygwyr ar y rhaglen deledu *Dweud Pethe* efo Guto Harri. Dyma gyflwynydd craff, un sy'n paratoi'n drylwyr ymlaen llaw ac yn meddu ar y ddawn i wneud i'r un sy'n cael ei holi deimlo'n gwbwl gartrefol. Yn anffodus, ni ellir dweud yr un peth am gyfran helaeth o'r rhai sy'n cael y rhyddid i fynegi barn. Mae yna rai eithriadau, wrth gwrs, ond tuedd y mwyafrif ydi bodloni ar roi crynodeb o'r gwaith heb geisio turio'n ddyfnach. Diffyg dealltwriaeth neu ddiffyg canolbwyntio ar y darllen sydd i gyfri am hynny a gall ambell sylw anghywir a chamarweiniol fod yn beth peryglus. Dylai pob adolygydd ddarllen cyfrol ddwywaith neu deirgwaith cyn rhoi ei linyn mesur arni. Os mai diffyg amser ydi'r broblem fe ddylai o neu hi wrthod gwneud y gwaith. O gofio fel y bu ond y dim i sylwadau beirniaid andwyo'r gyfres *Minafon* cyn iddi gael ei thraed dani, rydw i'n ymwybodol iawn o'r peryglon.

Dyna un rheswm pam y bu i mi roi'r gorau i feirniadu, flynyddoedd yn ôl bellach. Hynny, ac ofn gwneud cam. Wnes i ddim difaru. Roedd cael amser i 'ddryllio mythau, codi cwestiynau, a cheisio ein cael ni i edrych arnom ein hunain fel yr ydym, nid fel yr hoffem fod' yn llawer pwysicach.

Geiriau Guto yn ystod y rhaglen ydi'r rhai mewn dyfynodau, ond fy mod i wedi newid yr 'a'n gorfodi' i 'a cheisio ein cael' am nad oes gen i'r hawl i orfodi neb.

39

Er imi gael blas ar fynd yn ôl, roedd y presennol yn galw a syniadau newydd yn procio. A'r syniadau hynny roddodd fod i'r gyfrol o storïau byrion, *Paid â Deud*. Efallai fod y cymeriadau'n fwy parchus (beth bynnag mae hynny'n ei olygu) na hwyaid cloff a defaid colledig *Oni Bai* ond mae'r anallu i gyfathrebu, yn arbennig drwy gyfrwng geiriau, yr un mor amlwg yma. Tynnodd Sian Northey, un o'r adolygwyr prin sy'n darllen ac yn deall, sylw at hyn:

> Mae yna eironi mewn awdur yn sgwennu cyfrol gyfan yn darlunio pa mor ddianghenraid yw geiriau. Pa mor drwsgwl ydyn nhw a sut, yn aml, y mae'n well peidio â'u defnyddio o gwbwl.

Yn 'Bofe da', mae'r wraig sy'n adrodd y stori wedi gorfod gwylio'r gwerthoedd oedd ganddi'n diflannu o un i un:

Mae'n gas gen i'r byd a'i bobol heddiw. Rydw i'n teimlo fel rhedag allan i'r ardd a gweiddi sgrechian nerth esgyrn fy mhen nes gorfodi Dot drws nesa i stwyrian oddi ar ei chlustog o ben ôl a galw o ben drws, 'What's up, luv?' Finna'n codi'r caead ar y lobsgows o eiria sy'n codi camdreuliad arna i, ac yn rhaffu rhegfeydd yn iaith y nefoedd. Ond i be? Falla y byddai cael deud yn cynnig peth rhyddhad ar y pryd, ond pa elwach fyddwn i a hitha heb allu deall yr un gair? Yr unig ffordd o gael Dot a'i thebyg i ddeall fydda benthyca'u hiaith nhw, ond feiddia i ddim gneud hynny. Mae 'na gymaint ohonyn nhw a chyn lleied ohonon ni.

Nid problem iaith yn unig mo hon, o bell ffordd. Ei thristwch mwyaf ydi sylweddoli na all ei merch eu deall chwaith, er eu bod nhw'n siarad yr un iaith. Ond efallai mai'r Dot yr oedd ei thad yn gyfrifol am dorri'r coed gyferbyn â'r tŷ, heb ganiatâd, sy'n dod agosaf at ddeall wedi'r cwbwl:

'Sorry 'bout the trees. Never mind, you still got your mountains. The silly old bugger can't move them.'
'Dyna fan na sigla byth, Dot.'
Er nad oedd ganddi'r syniad lleia be oedd ystyr y geiria, roedd hi'n deall digon i allu deud,
'Sounds good, luv.'

Dydw i ddim yn siŵr erbyn hyn ai o'r gân 'Aros mae'r mynyddau mawr' y tarddodd 'Bofe da' na pam y dewisais i ddefnyddio geiriau caneuon a hen benillion ar ddechrau pob stori. Rhyw fath o linyn cyswllt ydyn nhw i gyd-fynd â'r thema, o'r stori gyntaf ddi-deitl hyd at 'Taw pia hi', yr un roddodd y teitl i'r gyfrol:

Os yw'th galon bron â thorri,
Paid â deud,
Am fod serch dy fron yn oeri,
Paid â deud.
Ac os chwalu mae d'obeithion,
Paid â deud,
Ni ddaw neb i drwsio'th galon
Er it ddeud.

Pan fo stormydd byd yn gwgu,
Paid â deud,
A gelynion am dy faeddu,
Paid â deud.
Ac os weithiau byddi'n llwyddo,
Paid â deud,
Hawdd i'th lwydd fynd drwy dy ddwylo
Wrth it ddeud.

I Merêd, yr hogyn clên o Danygrisiau, oedd bob amser mor
barod ei gymwynas, y mae'r diolch pennaf am ddod â'r hen
eiriau'n ôl imi.

Fel yn *Oni Bai*, mi wnes i fanteisio ar y rhyddid i lacio'r
llinyn cyswllt bob hyn a hyn. Yr Arthur anystywallt ydi'r afr
yn 'Cyw o frid' a phwll diwaelod o gi ydi'r 'Cariad bach'. Ond
bwthyn yng ngolwg y môr ydi'r tŷ bach twt a choeden gelyn
go iawn ydi'r gelynen, er nad ydi hi na chanmolus na
gweddus na gwiw.

Yn ystod y lansiad yn llyfrgell y Blaena, roedd pawb yn
chwerthin yn braf wrth wrando John Ogwen yn darllen y

stori 'Cyw o frid'. Ond gwrthod ei darlledu wnaeth BBC Cymru oherwydd ei bod yn cynnwys un gair oedd yn gyfuniad o lythrennau cyntaf enw'r 'afr ar drana' – Tomos William Arthur Thomas!

Oes, mae yma ysgafnder a gobaith, ar waetha'r camddeall a'r diffyg cyfathrebu. A gobaith Bet o gael ei Gruff hi'n ôl bron â phylu, cawn eu gadael yn penlinio ochr yn ochr yn yr ardd a'r haul yn boeth ar eu gwarrau. Caiff John a Beryl, yr hen gnawas a'r hen gena hunanol, fod efo'i gilydd o'r diwedd a llwyddo i'w twyllo eu hunain, dros dro o leia, mai eu heiddo nhw ydi'r aelwyd fenthyg. Gall Linda, 'Prydau parod', gysgu'n dawel heb ofal yn y byd rŵan ei bod yn ôl lle mae hi'n perthyn, a'r ferch ganol oed na chawsai erioed gyfle i gilio i'w byd ei hun eistedd yn ei thŷ bach twt a'r llonyddwch y bu'n ei ddeisyfu'n lapio'n flanced amdani.

Benthyg stori Mary, yr hogan fach o Lŷn a orfodwyd i aberthu'r unig beth o werth a fu ganddi erioed, wnes i yn 'Allan o gyrraedd' a'i chydio wrth y gân 'Elen fwyn'. Cân David Lloyd ydi honno i mi, a dyna fydd hi, am byth. Dylan Thomas ydi mab annwyl ei fam yn 'Mor browd'. Mae 'niddordeb i yn Dylan wedi para er ei fod yn golygu llawer mwy imi erbyn hyn na sain a mydr 'Do not go gentle into that good night'. Bûm yn sbecian drwy ffenestr y sied fach sydd fel pe'n hofran mewn gwagle, yn yfed cwrw yn Brown's ac yn oedi'n y Boat House, Talacharn. Tybed ai yno y clywais i bytiau o'r sgwrs rhwng Caitlin a Nicolette:

Gwyliodd Nicolette ei chwaer yn torri'r bara yn sgwarau bach.

'Who the hell is that for?' holodd.

'The boy upstairs. It's what his mother always made for him when he was ill.'

'Is he ill?'

'He thinks he's dying.' ...

Camodd Nicolette allan ar y feranda bregus. Roedd y llanw'n uchel a gallai deimlo'r niwl oer yn treiddio drwy'i chorff.

'My God, this is such a depressing place,' gwaeddodd. 'Rotting wood, damp ...'

Taenodd Caitlin yr halen dros y bara, ac meddai gan wenu, 'And there are rats in the lavatory. You can hear them tittering while you shit. But it's what he wants.'

'What do you want, Cat?'

'Him and the three little ones. To dance and get drunk and fight and make love. And that is what I have.'

Ond stori'r fam, Florence, y bu i'r D. J. Thomas galluog, uchelgeisiol ei phriodi o orfod ydi hon. Iddi hi, rhodd oddi wrth Dduw oedd ei chrwt gwallt cyrliog:

Safai Florence Thomas â'i phwys ar feranda'r Boat House.

'Shwt blentyn o'dd e?' holodd y gŵr dieithr.

'Fel angel bach. Fydde'i dad a'i whâr yn gweud bo fi'n ei sbwylo fe, ond 'sen i'n ca'l 'y mywyd i 'to 'nelen i'n gwmws yr un peth. O'dd e'n blentyn eiddil, chi'n gweld, angen gofal.'

'Ond yn blentyn hapus?'

'O, o'dd. Gatre 'da'r teulu o'dd e moyn bod. 'Se fe byth 'di gadel o ddewish ... Whilo amdano fe, 'na beth ma'r garanod 'ma'n neud. O'dd 'da fe wastad friwsion yn 'i boced ar 'u cyfer.'

Teimlodd y gŵr dieithr ias oer yn rhedeg drwy'i gorff, ac meddai'n dawel,
'It was my thirtieth year to heaven
 Woke to my hearing from harbour and neighbour wood
And the mussel pooled and the heron
Priested shore.'

'Dylan wedodd 'na?'

'Ie.'

''Na neis, ontefe?'

Syllodd yn dosturiol arni. O fewn blwyddyn, roedd hi wedi colli'i gŵr, ei merch a'i mab. Llonydd, 'na beth oedd hi angen nawr.

'Ma'n flin 'da fi beri gofid i chi 'da'r holl gwestiyne 'ma, Mrs Thomas.'

'Pidwch becso am 'ny,' meddai, a chyffwrdd ei fraich â'i llaw fach gynnes. 'Gofynnwch chi beth chi moyn, bach. Wy mor browd bo fi'n fam iddo fe.'

Dyma gyfrol yr ydw i'n eitha balch ohoni. Nid oes dim yn aros o'r dylanwadau llenyddol a gafwyd yn y storïau cynnar. Ond nid peth sy'n digwydd dros nos mo hynny. Mae'n cymryd blynyddoedd o ddisgyblaeth, o fod yn hunanfeirniadol, o wrando a *chlywed*, o edrych a *gweld*. Maen nhw'n dweud nad ydi hen filwyr byth yn marw. Dydi awduron byth yn ymddeol chwaith, ond rydan ni, gobeithio, yn para i ddysgu a hyd yn oed yn barod i gyfaddef fod y dysgu hwnnw'n ddiddiwedd.

Da, gwell, gorau,
Na orffwys ar dy rwyfau
Nes bo'r da yn well
A phob gwell yn orau.
Ond pwy byth sydd i wybod mai dyma'r gorau?

40

Mae'r dweud yn newid o ran cyfrwng yn y gyfrol *Parlwr Bach*. Wna i byth bythoedd fardd y B fawr fel Parry-Williams a Gerallt, dau o'm harwyr i, ond mae newid cystal â gorffwys, meddan nhw. Gyda llaw, pwy ydi'r 'nhw' 'ma sy'n gwybod y cyfan yn ôl pob golwg? Mae'n rhaid eu bod yn bobol blagus iawn.

Ni fu'r prentis o gynganeddwraig erioed yn aelod o unrhyw ddosbarth. Dim ond bwrw ati bob hyn a hyn a chael sawl cam gwag yn ogystal â'r mwynhad arferol o fentro ymhél â rhywbeth gwahanol. Ac eto, yn ôl Karen Owen, bardd ydw i, nid cynganeddwraig, a chyfrol o farddoniaeth ydi *Parlwr Bach*, nid casgliad o gynganeddion. Rydw i'n fwy na bodlon ar hynny ac yn credu 'mod i'n rhyw lun o ddeall be mae Karen yn ei olygu wrth haeru fod yna '*wahaniaeth sylfaenol yn y modd y mae merched a dynion yn mynd ati i gyfansoddi cerddi caeth.*'

Dweud y mae hi'n ei hadolygiad nad ydw i'n poeni gormod am gael fy nghyhuddo o gynnwys hen drawiadau. Ddim o gwbwl. Yr hyn oedd yn bwysig i mi oedd y teimlad a roddodd fod i'r gerdd a'r gobaith y byddai hynny'n ysgogi ymateb. Mae'n dyfynnu'r englynion i'r nofelydd o deiliwr, Daniel Owen, fel enghraifft o'r dweud '*cadarn, tawel*' o'i gymharu â '*gorchest mwy swnllyd y beirdd gwrywaidd*':

Gwêl y rhemp drwy gil y rhwyll – yn haenau
    dan yr wyneb didwyll;
  a hen dân o hunan-dwyll
  ar gynnau gyda'r gannwyll.

Grym miniog yr ymennydd – yn ysu
    bysedd y nofelydd;
  a'i figwrn o siswrn sydd
  yn dyfnu'r gwir o'r defnydd.

Hir dwyll edau'r dilledyn – a'i freuder
    a frodia i'w ddarlun,
  y brathiad sy'n y brethyn
  a phlygion cudd deunydd dyn.

Diolch, Karen, am air o gysur, ond taw piau hi o'm rhan i.

  Pobol sydd yma, gan mwyaf, aelodau'r teulu estynedig yr ydw i wedi'u mabwysiadu dros y blynyddoedd yn hytrach na pherthnasau gwaed – rhai fel Dewi Emrys, Kate, Ann Dolwar, Rowland Hughes y nofelydd, Gwen John yr arlunydd a Rodin y cerflunydd. Ond ochr yn ochr â'r teulu hwn, mae yn fy mharlwr bach i luniau o fan a lle.

    Mae llwch yn hel ar wyneb y llun o'r Blaena y gallwn ei weld ben bore heb agor y llenni.
    Gallaf eto ddilyn y Lôn Wen yr oedd Mam mor gynefin â hi wrth gerdded o'r Waunfawr i gystadlu ar adrodd yn eisteddfodau Arfon.
    Yn y cartref henoed, mae ffenestr yn gilagored uwchben

cadair gefnuchel wag, ac mae'r drwg wedi'i wneud.
Wrth i mi grwydro'r ffordd lydan sy'n rhedeg yn gyfochrog
â'r môr yn y Rhyl, mae nodau amhersain 'Clementine' a'r
goleuadau llachar yn fy arwain i ogofâu sy'n olau i gyd, a
lle na wêl ond y sawl sy'n dal i allu derbyn nad ydi pethau
fel y maen nhw'n ymddangos yr un rhyfeddod.

Darlun o un o beiriannau'r ogofâu lladron oedd yn fy nenu
i a geir yn y gerdd '7 x 3 = 25', ond mae gofyn i chi fod wedi'i
chwarae, a derbyn, er mwyn gallu dotio a deall:

> Pan nad oedd ond un Duw yn bod
> a dau ac un yn Drindod,
> dau fath o blant, y drwg a'r da,
> un uffern ddof, un wynfa,
> pa ddiben dysgu cyfri'
> ymhellach na'r un i dri?

> Pan nad oedd ond dau liw mewn bod,
> gwyn daioni, du'r pechod,
> un galon lân yn gân i gyd,
> un llwybr cul i'r Bywyd,
> onid digon at bob rhaid
> yr hyn a welai llygaid?

> Ond yma lle mae'r lliwiau'n gwau
> i chwarae siawns â rhifau,
> lle nad oes ffin rhwng dydd a nos,
> na dim fel mae'n ymddangos,

gwêl y tri bar yn ildio deg
a thair ceiriosen bymtheg.

O daro nod y tri saith
ceir pump ar hugain perffaith,
rhif Crowley a'i ewyllys rydd,
rhif sanctaidd y cyfrinydd;
cymer a fynnot, dy hawl di
fydd pennu gwerth y cyfri'.

I'r Rhyl, Gehenna'r Gogledd, y perthyn Zac, yr arlunydd sy'n
creu darluniau â nodwydd o frws a serwm o baent, a
Madame Zelda na all, wrth syllu'n ddall i'w phelen wydr,
weld ymhellach na'i heddiw ei hun. Ac yma y daw Doris a
Daisy ar eu cyrch bingo blynyddol a'u bryd unwaith eto ar
reibio banc 'Monte Carlo':

Dwy hen sgifi,
heb ddigalonni
na chyfri'r costau'n gwagio o'u pyrsiau
enillion tila
eu budr-elwa.
Gwell lwc y tro nesa'.

Siom oedd derbyn copi o'r cynllun clawr gwreiddiol nad
oedd ond darlun moel o silff ben tân parlwr hen ffasiwn a
di-liw. Ro'n i am i'r clawr fod yn un stremp o liwiau, fel pe
baen nhw'n toddi i'w gilydd, i gyd-fynd â'r pwt dyfyniad o'r

gerdd olaf ond un lle mae geneth fach, drwy gyfrwng brws
a dŵr, yn gweddnewid llun du a gwyn o dad a'i blentyn yn y
'llyfr peintio lledrith':

Nen a gleisiwyd yn glasu, – yr heulwen
        a'i meirioli'n nyddu
        tresi o des tros y du
    a melyn i'w hymylu.

Ias o lif sydd yn sleifio – i nithio'r
        coed noethion, egino
        wna brig i ariannu bro,
    a'r dail yn agor dwylo ...

Mae'i hylif ar ymylwe
y crindir, yn llenwi'r lle;
haenu briw, cyfannu breg,
trwsio, cwyro pob carreg ...

Mae'n cydio ym môn cudyn – yr un fach
        i'w droi'n faes eurfelyn,
        bwrw ei hèth o'r brethyn
    a hemio gwisg am y gwyn.

Daw'r gweddnewid â gobaith i'r tad sydd wedi bod yn erfyn
am derfyn dydd a'r cwsg sy'n gyrru'r ing i dir angof:

daw i fod y doe a fu, rhoi i ddau
â'i wyrth o riniau'r cyfwerth o rannu.

Asio o'i phaentiad enfys i'w phontio,
uno â'r hylif y wên a'r wylo,
a darganfod o'i rhodio y gwead
ym mêr y lluniad – mae'r lliwiau yno.

O, ydyn – y lliwiau sy'n rhoi blas ar fyw, yn tanio'r dychymyg
ac yn creu rhyfeddodau.

Cyrhaeddodd *Parlwr Bach* restr hir Llyfr y Flwyddyn. A
dyna'r pella aeth hi. Ro'n i wedi rhagweld hynny ond mi ges
fy nghythruddo, a'm siomi, gan ymateb un o'r beirniaid.
Roedd yn amlwg nad oedd wedi trafferthu darllen y gyfrol
hyd yn oed. Beth bynnag ydi'r safon, mae'r awdur yn haeddu
rhywfaint o barch. Dylid bod yn llawer mwy gofalus wrth
ddewis beirniaid a dylai'r beirniaid, hwythau, fod yn
ymwybodol o'u cyfrifoldeb.

Fel hyn y disgrifiodd Sarnicol y bardd a'r beirniad yn y
trysor bach hwnnw o lyfr, *Blodau Drain Duon*:

> Duw a luniodd Fardd,
> Yna cymerth ddyrnaid
> O'r ysbwriel oedd ar ôl.
> A gwnaeth dri o feirniaid.

Gormodiaith, efallai, ond un a fyddai wrth fodd sawl awdur,
yn fardd a llenor.

41

I 'Morfudd fel yr haul' y canodd Dafydd ap Gwilym ei gywydd. Morfydd Owen o Drefforest ydi gwrthrych y nofel *Fel yr Haul*. Ond rydw i'n credu fod y dyfyniad hwn yr un mor addas i'r ddwy:

> Ni chaiff llaw yrthiaw wrthi,
> Nac ymafael â'i hael hi.
> Trannoeth y dyrchaif hefyd,
> Ennyn o bell o nen byd.

Nid bywgraffiad na nofel hanesyddol mo hon. Fyddai gen i ddim rhithyn o ddiddordeb mewn rhestru ffeithiau moelion. Roedd yn rhaid imi wrthyn nhw, wrth gwrs, ond fy mwriad i oedd llunio portread o Morfydd. (Go brin fod angen i mi ychwanegu – fel ro'n i'n ei gweld hi.) A Morfydd Owen oedd hi, er mai fel Morfydd Llwyn Owen y cyfeirir ati'n aml. Ei dewis hi oedd cynnwys enw hen gartref ei thad yn Llanbrynmair pan gafodd ei derbyn i'r Orsedd yn Eisteddfod Genedlaethol Wrecsam, 1912.

Wyddwn i fawr ddim amdani. Daeth y symbyliad i fod eisiau gwybod rhagor o gyfrol ddarluniau Rhian Davies, *Yr Eneth Ddisglair Annwyl*. Ni all neb amau dawn Morfydd fel cyfansoddwraig ddisglair. Gallai, hefyd, fod yn annwyl iawn ar adegau, ond nid angel na santes mohoni. Er bod y gyfrol yn cynnwys peth gwybodaeth yn ogystal, dechrau efo'r darluniau wnes i. Mae i'r wyneb, fel i'r corff, ei iaith ei hun. Felly, drwy astudio'r wynebau, y daeth y cyfan i fod –

Herbert Lewis, yr Aelod Seneddol Rhyddfrydol ac un o gwmni dethol Cymry Llundain, ond a gâi adferiad ysbryd a'r nerth i ddal ymlaen yn ei hen gartref, Plas Penucha, Caerwys. Y gŵr hynaws a gynigiodd gartref oddi cartref yn Grosvenor Road i'r ferch ifanc anniddig gan haeru fod 'y Morfydd fach ene yn un ohonon ni'. Ruth, ei wraig, oedd â'r gallu i setlo pob problem ac un na fyddai'n petruso codi llais i amddiffyn ei daliadau. Ond arlliw o dynerwch a welais i wrth graffu ar y llun ohoni. Y cyfuniad hwnnw roddodd fod i'r sgwrs rhwng Herbert, Ruth a Peter Hughes Griffiths, gweinidog capel Charing Cross, oedd wedi achosi gofid mawr i'w aelodau drwy alw Llundain yn 'nyth o lygredd a thomen o bechod' yn ystod ei bregeth:

Camodd y gweinidog ymlaen i'r golau a golwg druenus arno.

'A pwy ydych wedi ypsetio tro hyn, Parchedig?'

'Ma'n flin 'da fi, Mrs Lewis.'

'Mae Peter yn bwriadu ymddiswyddo, Ruth.'

'Ymthi ...beth?'

'Gadael Charing Cross a'r weinidogaeth.'

'Ond gallwch chi ddim gwneud hynny.'

'Fe fydd y diaconied yn derbyn hwn cyn nos.'

Estynnodd Peter y llythyr o'i boced.

'Darllenwch e os y'ch chi moyn.'

Chwifiodd Ruth ei llaw i gyfeiriad y llythyr.

'Is it because of that unfortunate sermon?'

'O'dd bai mowr arno i.'

Diflannodd y tynerwch o'r llygaid.

'I will say this once, and once only, Reverend, and in my mother tongue so that there can be no misunderstanding. You are the most annoying of men, and a very unwise one. Standing there in the sêt fawr, having caused your congregation such distress, smiling without a trace of remorse.'

'Fe alla i egluro hynny, Ruth.'

'Arbedwch dy anadl, Herbert. Now, put that letter out of sight, Mr Griffiths, and we'll say no more about it. O'r golwg, o'r meddwl.'

'Ond ...'

'We need you, Parchedig, and you certainly need us.'

Canodd Ruth y gloch i alw un o'r morynion.

'A nawr, yn iaith fy gŵr, fi'n credu ni gyd yn haeddu eli y calon.'

'A thafell o fara brith Penucha os oes peth yn weddill, Ruth.'

Yn ystafell foethus ei gartref ar lan afon Tafwys, suddodd yr Aelod Seneddol i'w gadair, blas ei hen gartref ar ei dafod a'r rhyddhad yn llifo drwy'i gorff, er iddo orfod cydnabod iddo'i

hun nad oedd wedi gwneud dim i haeddu'r naill na'r llall, a
bod y diolch i'r wraig oedd ar hyn o bryd yn syllu ar y mwyaf
plagus o ddynion ag adlewyrchiad o'r tynerwch yn ei llygaid
gleision.

Mi allwn i, fel y gwnaeth sawl merch arall, fod wedi cymryd
ffansi at yr Eliot Crawshay-Williams golygus, Aelod
Seneddol ac Ysgrifennydd Preifat Winston Churchill. Hwn
oedd yr un a gafodd berswâd ar rieni Morfydd i ganiatáu
iddi fynd i'r Academi Frenhinol yn Llundain. Hwn, hefyd,
a ysgrifennodd ar ei cherdyn Nadolig, oedd yn cynnwys
darlun o'r haul yn machlud:

> When we are old and worn and tired and gray
> And most of all, ah! far the most, shall we then rue
> Not things we did, but things we did not do.

Rydw i'n berffaith sicir ei bod mewn cariad efo Eliot ac
mae'n amlwg bellach, yn ôl y cyfeiriadau ar y we, fod sawl
un arall yn credu hynny. Wyddwn i ddim tan yn ddiweddar
iawn fod casgliad o lythyrau a anfonodd Morfydd at Eliot
rhwng 1911 ac 1914 ymysg ei bapurau'n y Llyfrgell
Genedlaethol. Ar wahân i ambell ddyfyniad byr o'r gyfrol
ddarluniau, rhai dychmygol ydi'r llythyrau a sgrifennais i ar
ran Morfydd. Siom oedd darganfod nad oes unrhyw sôn
amdani yn hunangofiant Eliot, *Simple Story: An accidental
autobiography*, er ei fod mewn erthygl yn *Wales*, Rhagfyr
1958, yn cofio'n annwyl am yr eneth brydferth, fywiog y
cafodd y fraint o'i chyfri'n ffrind agos.

Ni allwn i, mwy na Morfydd, gymryd ffansi at William Hughes Jones (yn ôl ei dystysgrif bedydd), Elidir Sais (i'r llythrennog) a Bili Museum (iddi hi). Byddai ei arferiad o'i chyfarch fel 'cariad bach' wedi mynd dan fy nghroen innau. Ond ro'n i'n dân am wybod rhagor am y ceiliog dandi a fynnai wisgo'i fow tei hyd yn oed mewn picnic ar Hampstead Heath, oedd yn ei gyfri ei hun yn awdurdod ar Robert Williams Parry, ac yn siarad iaith y llyfrau y byddai'n eu llyncu wrth y dwsinau bob dydd wrth ei ddesg yn yr Amgueddfa Brydeinig. Yng nghyfrol E. Tegla Davies, *Gyda'r Blynyddoedd*, y ces i beth gwybodaeth. Mae'n sôn fel y byddai Elidir Sais, y llanc annwyl, rhamantus, ond cwbwl anghyfrifol, yn galw'n ei gartref yn Nhregarth yn hwyr y nos, ac yn gwneud ati i siarad Saesneg. Darlun trist iawn a gawn ohono yn 1935:

Yn Eisteddfod Caernarfon y flwyddyn honno y gwelais ef ddiwethaf. Darllenai bapur yno ryw fore yng Nghyfarfod y Cymmrodorion, yn Saesneg, a disgwyliai groeso'n ôl i'r hen wlad. Eithr yr oedd to arall yng Nghymru erbyn hynny. Hwtiwyd ef am annerch yn Saesneg, a chalonnau ei hen ffrindiau yn gwaedu drosto. Torrodd i wylo dan y driniaeth ac eisteddodd i lawr.

Minnau'n cofio, wrth ddarllen, fel y byddai Morfydd yn tynnu arno efo'i, '*Dy'ch chi ddim yn ca'l gweud 'tho i beth i neud, Bili Museum.*'

Yno, ar Hampstead Heath y cyfarfu Morfydd ag Elizabeth Lloyd o Lanilar, y ferch gyntaf i ennill gradd dosbarth cyntaf yn y Gymraeg yng Ngholeg y Brifysgol, Aberystwyth. Er nad oedd ganddyn nhw fawr yn gyffredin, daeth y ddwy'n bennaf ffrindiau. Byddai pethau wedi mynd yn flêr sawl tro pan oeddan nhw'n rhannu'r fflat uwchben The Reformed Dress Company yn Hampstead oni bai am yr Elizabeth ddoeth na fyddai byth yn codi na'i gwrychyn na'i llais. Ond roedd y Morfydd anymarferol yn ddigon i drethu hyd yn oed ei hamynedd Job hi ar adegau:

'Dy'n ni'n dwy byth yn mynd i allu deall ein gilydd, y'n ni?'

'Ond ry'n ni'n dala'n ffrindie drwy'r cyfan, Morfydd.'

'I chi ma'r diolch am 'ny. Wy'n ddicon i'ch hala chi'n benwan ar adege, on'd odw i, yn ymddwyn fel croten fach sy moyn 'i ffordd 'i hunan? Ond 'sech chi'n gofyn i fi beth yn gwmws odw i moyn, y cyfan allen i weud yw – rhywbeth gwahanol i'r hyn sy 'da fi.'

'So'r borfa wastad yn frasach fan draw.'

'Nag yw hi? A shwt ma' rhywun i wpod heb brofi 'ny?'

Digio a thorri cysylltiad wnaeth Morfydd pan dderbyniodd ei Beti Bwt swydd darlithydd yn y Coleg Normal, Bangor. Mynd i'w ffordd ei hun wnaeth y ferch o Drefforest a haerai, 'rhyddid i neud beth wy moyn, na'r cyfan wy'n ofyn', a darganfod, yn anffodus, nad oedd y borfa fan draw, o'i phrofi, yn frasach wedi'r cyfan.

Fel Ruth Herbert, ro'n innau'n amheus iawn o Ernest

Jones y seicdreiddiwr, disgybl i Freud, a gŵr yr oedd meddygon proffesiynol yn ystyried ei ddulliau, yn arbennig ei ddefnydd o hypnotiaeth, yn rhai peryglus tu hwnt. Mewn salon yn Gray's Inn Road y sylwodd Morfydd ar y dyn byr, pryd tywyll ac iddo osgo hunanbwysig welwch-chi-fi oedd yn syllu'n galed arni:

Ond nid y Morfydd a ddaeth i Lundain yn haf 1912 oedd hon, yn rhy swil i godi ei phen, ac yn gwrido ar y peth lleiaf. Syllodd yn ôl arno, yr un mor hyderus. Ac o'r munud hudolus, hunllefus hwnnw, pan gafodd ei dal yng ngwe lesmeiriol ei lygaid, aeth pawb a phopeth yn angof ac nid oedd ond yr heddiw hwn yn bod.

Ni chafodd Ernest yr ymateb a ddisgwyliai pan aeth i dorri'r newydd da i'w gyfaill, a'i frawd yng nghyfraith, Wilfred Trotter:

'Well, are you going to congratulate me, Wilfred?'

'I suppose so. Am I acquainted with this lady?'

'A girl, rather than a lady – young, Welsh, very pretty, and a brilliant musician, having already been appointed Associate Professor at the Royal Academy.'

'Does your intended speak Welsh?'

'Speaks it, sings it, makes love in it.'

'You must admit that this is rather sudden.'

'The Plat, my delightful little house in Elsted, needs a mistress and I was in the mood to find one. We met at a party and within a few days I had proposed to her. I had no wish to marry an Englishwoman. It seemed so commonplace.'

'Good luck, Ernest.'

'We make our own luck, Wilfred, and I have made mine by capturing the sweetest girl on earth.'

Cymro o Dre-gŵyr oedd yr Ernest Jones rhodresgar, er bod ei dad yn gwrthod ei gyfarch yn Gymraeg. Roedd o hefyd yn anffyddiwr a gwnaeth bopeth posibl i ddiddyfnu Morfydd oddi wrth ei chrefydd a'i theyrn o dad. Pan fu farw'i mam, ofnai Ernest ei fod, drwy ei esgusodi ei hun rhag mynd i'r angladd, wedi rhoi rhwydd hynt i'r unben o Drefforest. Ond nid oedd gan Wilfred Trotter unrhyw fwriad o ildio i'r pen bach efo'i agwedd gwybod-y-cyfan a'i dueddiad i anghytuno â phopeth nes cythruddo pawb.

Syllodd Ernest arno dros ymyl ei ddesg, yn swp o hunandosturi.

'Well, what do you expect me to say, Ernest?'

'Some sympathy would not go amiss.'

'It seems to me that you are more than able to provide your own. And what about poor Morfydd? She is your responsibility now.'

'But I am in no way responsible for her insufferable father.

He's determined to take her away from me.'

'And you have given him the perfect opportunity.'

'So the blame is all mine?'

'The girl has just lost her mother. She needs you.'

'I have my principles, Wilfred.'

'To hell with your principles. You are the most selfish, self-centred man I have had the misfortune to befriend.'

Oherwydd yr holl ddarllen wnes i ymlaen llaw, dydw i ddim yn hollol siŵr erbyn hyn be sy'n ffaith a be sy'n ddychymyg. Ond mi wnes i ymdrech i gadw'n driw i'r ffeithiau, gan wneud defnydd o ambell gliw bach yma ac acw. Mae'r mwyafrif o'r bobol gig a gwaed i'w gweld yn y darluniau ac ambell un arall a fynnodd fod yn rhan o stori Morfydd –

David Herbert Lawrence, na welai ond gwae a dinistr ym mhobman, a Frieda Lawrence, yr 'hi' a gafodd y fath argraff ar Morfydd oherwydd ei gallu i fyw'n llawn. Ezra Pound a Hilda Doolittle, y beirdd a'r sgwatwyr bohemaidd oedd yn ei denu a'i dychryn. Rhai o fyfyrwyr Rhydychen, yn cynnwys Mansell Jones o Gaerfyrddin oedd yn feistr ar sawl iaith ond ei iaith ei hun. Dora Rowlands, ysgrifenyddes Herbert Lewis, y ferch gyntaf i weithio'n y Senedd, ac Annie Ellis, gweddw T. E. Ellis, y cyn-Aelod Seneddol, cydymaith Ruth Herbert ar ei theithiau i gasglu alawon gwerin ar gyfer y llyfr *Folk Songs* a fu'n gymaint o gur pen i Morfydd. Y Parchedig Dewi Emrys, Finsbury Park, y *'wonderful pastor'* na fynnai gymryd ei arwain gan neb, a David Lloyd George, y Gweinidog Rhyfel, a'i araith danllyd yn Eisteddfod Genedlaethol Aberystwyth, 1916 a roddodd fodd i fyw i Morfydd a gwewyr meddwl i Elizabeth.

Ond mae i'r cymeriadau dychmygol eu lle yma, hefyd – Ethel, cyd-letywr Morfydd yn Maida Vale, y ferch fawr na wyddai ystyr y gair tawelwch; Maud, yr ysbiwraig o Drefforest; y mab afradlon, Georgie bach, nad oedd ond yn pasio drwodd ar ei ffordd i wneud ei ffortiwn, a Ken, y brawd a orfodwyd i aros adref i ofalu am y busnes.

Maen nhw i gyd yno oherwydd eu cysylltiad â Morfydd. Hi oedd yr echel, haul y dydd a seren hwyrol Turner. Er bod y nofel yn canolbwyntio ar chwe blynedd olaf ei hoes, roedd yn hanfodol cynnwys yr hyn yr ydw i'n ei alw'n olygfeydd-golwg-yn-ôl. Er iddi adael Trefforest ac ysu am allu dilyn ei llwybr ei hun, ni allai dorri'n rhydd o'r gefynnau a'i daliai wrth ei theulu, y dosbarth canol parchus, a'i chrefydd, yn fwy na dim. Hon oedd yr eneth fach ddigon o ryfeddod a roddodd ei pherfformiad cyhoeddus cyntaf yn Ysgol Wood Road fel y Glöyn Byw Euraidd. Hon oedd y ferch ifanc oedd â'r gallu arallfydol bron i swyno nid yn unig gynulleidfaoedd Pontypridd a Llundain ond pawb a ddeuai i gyffyrddiad â hi. Fel 'one of the few apparitions I have met in life' y disgrifiodd Mansell Jones hi yn ei gyfrol *How They Educated Jones*:

> Confusedly I wondered was she a child, a girl or a fairy. She approached gently; there was laughter and a touch of mockery in her gaze.

Roedd Morfydd yn ymwybodol iawn o'r gallu hwn ac yn hen law ar ei haddasu ei hun ar gyfer pob achlysur. Byddai'n hoffi tynnu sylw ati ei hun drwy wisgo dillad lliwgar, llachar a hetiau mawr wedi'u haddurno â cheirios, rhubanau a rhosynnau papur. A beth am y llu cariadon, yn cynnwys tywysog o Rwsia, oedd yn ymddangos fel madarch dros nos ac yn diflannu'r un mor sydyn? Fel hyn y mae'n cyfeirio at un ohonyn nhw mewn llythyr at Eliot:

There is a new love in my life. Fat and pompous and as dry as sawdust. If – no, when – I give him the push, into the Thames hopefully, he will make an almighty splash.

Ei geiriau hi? Fe allan nhw fod. Dyna'r hyn glywais i hi'n ei ddweud, beth bynnag.

Byddai'n fy atgoffa weithiau o Katherine Mansfield, un arall o blant yr haul; yn llawn bywyd, yn fwrlwm o syniadau a chyffro'r creu ar adegau, yn ofnus ac ansicir dro arall. Ond y darlun ohoni ar sgwâr Piccadilly ydi'r un sy'n aros:

Oedodd yno, yn fach ac yn eiddil, y byw estron yn ferw o'i chwmpas, a Llundain y lle mwyaf unig ar wyneb daear.

O, oedd, roedd yna sawl Morfydd yn bod. Un a allai ennyn dicter a dagrau yn ogystal â thosturi a gwên. Yn ysu am gael byw'n llawn ond yn ymwybodol iawn o barchedig ofn ei magwraeth. Yn synhwyrus, ond ymhell o fod yn synhwyrol, yn hunanol a ffroenuchel ar adegau ac yn gariadus, gynnes dro arall, yn pwdu fel plentyn wedi cael ei ddifetha ac yn sobor o fyr ei hamynedd. Iddi hi, *'silly politics'* oedd gwleidyddiaeth a *'silly little tunes'* oedd yr alawon gwerin disynnwyr efo'u 'hwp ha wen' a'u 'hwp, dena fo'. Haerai Eliot iddo adnabod y Morfydd go iawn. Rydw i'n fwy na pharod i dderbyn hynny:

I was done when I heard of her death. My dear, beautiful Morfydd, who had so much to offer. So often wilful, sometimes even arrogant. I was given the opportunity of knowing the real Morfydd, a sensitive young girl, who believed the grass to be always greener on the other side.

Mae'n siŵr fod ambell un yn gweld bai arna i am beidio sôn rhagor am ei chyfraniad fel cyfansoddwraig, pianydd a chantores. Ond, a dyfynnu un adolygydd, *'Y ferch, nid y cerddor, yw testun Eigra. Awdur pobl, nid nodau, yw hi wedi'r cyfan.'* Mae adolygydd arall yn holi, *'Ai dim ond trwy ei cherddoriaeth y gallai fynegi ei haeddfedrwydd, tybed?'* Nid fi ydi'r un i farnu gwerth y cyfoeth amrywiol o ddarnau corawl ac unawdau, gweithiau cerddorfaol ac emyn-donau. Y cyfan allwn i ei wneud oedd ceisio cyfleu gwefr a gwewyr y creu. Y cysur o gael ail-fyw ei diniweidrwydd fel un o blant bach Iesu Grist drwy gyfrwng cerdd William Blake, 'The Lamb', ac o fedru derbyn fod Crist yn fodlon anghofio'n ogystal â maddau yn 'Gweddi'r Pechadur'. A'r rhyfel yn taflu'i gysgod dros bopeth a'i phryder am ei brodyr yn ei blingo, hunllef oedd y gosodiad o gerdd Walt Whitman, 'Toward the Unknown Region', ar gyfer tenor a cherddorfa:

Darest thou now, O Soul,
Walk out with me toward the Unknown Region,
Where neither ground is for the feet, nor any path to follow?

No map there, nor guide,
Nor voice sounding, nor touch of human hand,
Nor face with blooming flesh, nor lips, nor eyes, are in that land.

Gan nad ydw i ddim mwy o gerddor nag ydw i o hanesydd, roedd gofyn bod yn ofalus iawn. Pleser cymysg oedd mynd i ddilyn Morfydd drwy Lundain a Rhydychen a cheisio gweld y cyfan drwy'i llygaid hi. Mi fyddwn innau wedi cael fy nhemtio i rwygo a llosgi pob poster rhyfel wrth weld bys cyhuddgar Kitchener yn pwyntio tuag ata i ac roedd bod yng nghwmni holl seintiau a merthyron Rhydychen yn syrffed. Ond mi ges i, yn ei sgil hi, fod yn llygad-dyst i angladd Emily Davison, gwylio gorymdaith y swffragéts drwy Piccadilly, a bod yn rhan o seremoni'r Gadair Ddu i wrando'r beirdd yn arddangos eu doniau. A chytuno ag Elizabeth Lloyd y byddai'n ddoethach iddynt dewi a gadael i'r gadair wag siarad drosti ei hun.

Bu'n rhaid i mi gefnu ar iaith y Gogledd a chael arweiniad gan rai oedd yn gyfarwydd â thafodiaith Morfydd. Fy newis i oedd cadw at iaith wreiddiol Wilfred Trotter, Lawrence, Pound a Hilda Doolittle, a byddai llythyrau Morfydd ar eu colled o gael eu cyfieithu. Ond, fel yn *Return Ticket*, mi ges i flas ar droi i'r Saesneg a mwy fyth o flas ar roi cymysgedd o Saesneg ac 'iaith fy gŵr' yng ngenau'r Ruth Herbert y dywedodd Morfydd amdani,

I do admire her greatly, although her unwitting misuse of our beautiful language drives me mad at times.

Byddai ambell un wedi hoffi gwybod rhagor am fywyd priodasol Dr a Mrs Ernest Jones. Byddwn innau hefyd ond bu'n rhaid imi ddibynnu ar bytiau o wybodaeth, cryn dipyn o ddyfalu, a sylwadau braidd yn rhagfarnllyd rhai oedd yn credu na allai'r berthynas honno byth fod yn llwyddiant. Prin ac annigonol iawn ydi'r hyn sydd gan Ernest Jones i'w ddweud am Morfydd yn ei hunangofiant, *Free Associations: Memoirs of a Psychoanalyst.*

Yn ei chyfrol ddarluniau, mae Rhian Davies yn cynnwys ffotograffau o Morfydd yn The Plat yn ystod haf 1918 ac yn tynnu sylw at yr olwg nychlyd sydd arni. Cyfeillion Ernest, cwmni o seicdreiddwyr gan mwyaf, fyddai'n ymgynnull yno ar benwythnosau. Nid oedd gan Morfydd unrhyw ddiddordeb ynddyn nhw ac, yn driw i'w natur, nid oedd am geisio celu'i diflastod. A'r diflastod hwnnw a welais i yn hytrach na gwaeledd. Pam, tybed, y mae hi'n gwenu'n y llun a dynnwyd ar y South Downs, allan o gyrraedd y tŷ?

Efallai mai golygfa wedi'i chreu ydi hon, ond mae'n ddigon posibl mai fel hyn y digwyddodd pethau:

Daeth Ernest at Morfydd, gafael yn ei llaw a'i harwain at y piano.

'Just a few tunes, for my sake?'

'Wy ddim yn whara tiwns.'

Dechreuodd Morfydd chwarae ei gosodiad hi o Gweddi Pechadur, ond rhoddodd Ernest daw ar hynny gyda'i, 'Dim emynau, Morfydd.'

Cyn pen dim, roedd hi wedi ymgolli yn y gerddoriaeth, ond yn raddol boddwyd y nodau persain gan leisiau cras a chwerthin powld y cwmni.

Gollyngodd gaead y piano yn glep, a rhuthro allan ...

Daeth Ernest i eistedd ati ar y fainc dan gysgod y pren bocs.

'Mae'n ddrwg gen i, cariad. Ddylen i ddim fod wedi mynnu'ch bod yn chwarae'r piano.'

'Na ddylech.'

'O'n i'n credu bydden nhw'n mwynhau gwrando cymaint â fi.'

'Beth o'n i'n 'whara, Ernest?'

'Allwn i ddim rhoi enw arno, ond roedd yn swnio'n hyfryd' ...

Dychwelodd Morfydd i'r tŷ a braich Ernest yn dynn amdani, yn barod i'w gwarchod rhag y Philistiaid nad oedd ganddynt ei allu ef i werthfawrogi pethau gorau bywyd.

Dwy gân yn unig a gyfansoddodd Morfydd yn 1917 ac un yn 1918. Distawodd y nodau i ganlyn yr emynau a'r gweddïau a diflannodd y Glöyn Byw Euraidd i sŵn clecian ysgerbydau wrth iddynt lamu o'u beddau i ddathlu Dawns Angau.

Teimlai un adolygydd fod diweddglo'r nofel yn rhy ffwr-bwt. Mae honno'n feirniadaeth ddigon teg ond ni allwn, o ran egwyddor, ddibynnu ar amheuon ac ensyniadau di-sail. Mae i ddyfalu ei derfynau ac i ddychymyg ei ffiniau, wedi'r cyfan. Roedd ymdopi â thrasiedi marwolaeth Morfydd yn chwech ar hugain oed yn ddigon heb geisio datrys yr hyn a erys yn ddirgelwch hyd heddiw.

Anghofia i byth mo'r profiad dirdynnol o sefyll y tu allan i Graig-y-môr, cartref tad Ernest yn Ystumllwynarth, yn syllu ar y drws y cerddodd hi drwyddo am y tro olaf ddiwedd Awst, 1918. Na'r dicter o weld y geiriau 'Morfydd, wife of Ernest Jones' a dyddiad eu priodas ar ei charreg fedd ym mynwent Ystumllwynarth. Ond yn y beddargraff, wedi'i gerfio ar ran isa'r golofn, roedd dyfyniad o Faust, Goethe – 'Das Unbeschreibliche, hier ist's getan'. Er na allwn innau, mwy nag Elizabeth, ddod o hyd i air addas a fyddai'n cyfleu pŵer brawychus yr Unbeschreibliche, fe wnaeth y dyfyniad hwn o ddewis Ernest i mi sylweddoli fod y meddyg bach hunanbwysig yn caru Morfydd yn ei ffordd ryfedd ei hun. Er ei fod yr un mor barod â'r Arglwydd Penrhyn i herio pawb ac na fyddai byth yn syrthio ar ei fai, ro'n i'n teimlo wrth adael y fynwent fy mod i gam yn nes at ei ddeall ac y byddwn yn barod i faddau iddo, a chymryd fod gen i'r hawl i wneud y fath beth.

Ond gwnaeth geiriau ei fab, Mervyn Jones, yn yr epilog i'r hunangofiant, Free Associations, i mi gymryd cam yn ôl.

Fe ailbriododd Ernest Jones ym mis Hydref, 1919 wedi carwriaeth fyrrach na'i un o a Morfydd hyd yn oed. Yn y gyfrol, mae darlun o Ernest yn hen ŵr mwyn, flwyddyn cyn ei farw, yn pwyso ar fraich ei ail wraig, Katherine Jokl. Parodd y briodas honno'n agos i ddeugain mlynedd a tystiai'r mab ei bod yn enghraifft o gariad ar ei orau a'i ddyfnaf.

Be fyddai wedi dod o Morfydd petai wedi cadw draw o'r salon y noson dyngedfennol honno? Ond does neb all roi ateb i'r cwestiwn hwnnw. Mynd i'w ffordd ei hun wnaeth hithau, o ddewis, gan herio pawb. Ond bydd, fel yr haul, yn dal i 'ennyn ... o nen byd'.

42

Roedd yn bryd rhoi'r gorau i fyw'n y gorffennol a symud ymlaen i'r heddiw, heb orfod poeni am na ffeithiau na ffiniau. Dod yn ôl at fy mhobol fy hun a'r drafftiau plagus nad oes modd cael eu gwared. A dilyn lôn oedd fel petai'n arwain i ben draw'r byd nes cyrraedd pentref nad oedd o'n bod. Drwy lygaid Omo, Owen Myfyr Owen, y gwelais i'r Bryn gyntaf:

Crwydrodd Omo drwy'r pentref, ei lygaid yn gwibio yma ac acw. Doedd 'na fawr o raen ar y lle pan heliodd ei draed am Gaerdydd, ond roedd y deng mlynedd diwethaf wedi'i lempio go iawn. Ysgerbydau o siopau wedi'u gadael i bydru, ac ambell un wedi'i byrddio, fel arch. Drwy ffenestr fudur hen siop Wil Cig, gallai weld rhes o fachau lle byddai'r cyrff yn hongian. Yr hen gythral crintach hwnnw wnaeth ei ffortiwn ar draul rhai fel ei fam. Ond bu'n rhaid iddo dalu'n hallt am hynny, o do.

Mynd i'w ganlyn, heibio i siop Huws Drepar, lle bu'r hen lanc yn ei fesur am ei siwt gyntaf a'i lygaid yn disgleirio wrth i'w fysedd barus grwydro dros ei gorff, ac oedi i gofio'r Mrs Jones Fala Surion stumgar, ei thatws a'i moron yn drwm o bwysau pridd a'i chlorian a hithau mor dwyllodrus â'i gilydd. A sylweddoli fod y brodor a ddychwelodd i'w gynefin â'i lach ar bawb yn un i fod yn ochelgar ohono. Ai hwn roddodd y teitl *Pry ar y Wal* i'r nofel, tybed? Efallai; efallai ddim.

Roedd hi'n dechrau tywyllu pan welais i un arall yn crwydro strydoedd Y Bryn. Doedd o fawr o beth i edrych arno, a heb fod yn llawn llathen yng ngolwg pobol y pentref. Ond mae bod yno heb fod yno i gyd yn siwtio fy Jo i i'r dim. Does yna fawr ddim yn digwydd nad ydi o'n ei weld a'i glywed. Mi ges wybod, cyn pen dim, pam yr oedd o'n stelcian o gwmpas liw nos, a gwneud yn siŵr o'r dechrau fod pawb arall (ond trigolion Y Bryn) yn dod i wybod:

Dyna fydda i'n ei neud allan acw pan fydd pob man yn dywyll ac yn dawal ... hel darna o'r gwir. Ac mae modfadd o'r gwir yn llawar gwell na llathan o gelwydd. Dydi'r hyn sydd gen i ddim hannar digon, a fedra i'm dibynnu ar y tameidia yr ydw i wedi'u hel yma ac acw yng ngola dydd.

Adra â fi wedyn, a chydio hynny o ddarna sydd gen i wrth ei gilydd, fel jig-so.

Ai Jo ydi'r pry ar y wal, tybed? Efallai; efallai ddim.

Gan fod yma gymaint o gymeriadau, roedd yn rhaid eu cyflwyno gan bwyll. Mae rhai awduron yn dewis rhoi rhestr o pwy-ydi-pwy ar ddechrau nofel, fel mewn drama, ond roedd yn well gen i, yn gam neu'n gymwys, adael iddi siarad drosti ei hun. Digwyddodd yr un peth mewn nofelau eraill. Mae'n bosibl fod hyn wedi achosi peth dryswch i rai darllenwyr, ond i mi byddai cynnwys ychwanegiadau o'r fath yn gyfystyr â thresmasu.

Fe ddaethon nhw allan o'u tyllau'n ara bach. Pob un â'i gyfrinach a phob un wedi llwyddo i gadw'r ysgerbydau dan glo mewn cypyrddau – hyd yn hyn. Ond gwyddwn y gallwn ddibynnu ar Omo i ddatgloi'r drysau a'u gollwng yn rhydd.

A dyna wnaeth o, wrth gwrs. Fel Dic Pŵal, Minafon, ei fwriad oedd gwneud i'r diawliaid grynu, ond, yn wahanol i'r hogyn hoffus o ferchetwr, diawl y Wasg oedd hwn a'i fryd ar ddial a dinistrio. Y cyn-ohebydd a gerddodd allan o'r swyddfa o'i ddewis ei hun ddeng mlynedd ynghynt gan wrthod ymddiheuro'n gyhoeddus am yr 'adroddiad enllibus' a dweud wrth Alf, y golygydd, am stwffio'i bapur.

Wedi'r daith ddiflas ar drol o fŷs i'r dref, mae'n anelu am y parc bach a'i lyn hwyaid, cyn rhoi ei gynllun ar waith:

Yma y byddai'n dod i regi Alf. Ond fe wnâi'n siŵr ei fod yn cyfeirio at hwnnw heddiw fel 'Mr Watkins, hen foi iawn, mor onast â'r dydd'. Doedd dim angan gor-wneud pethau chwaith. Ac ers pryd roedd y dydd yn onast, mwy na neb na dim arall? Gadawodd un o'r hwyaid y llyn a hercian i fyny at y fainc. Gwthiodd Omo ei droed allan a bygwth cic iddi dan fytheirio, 'Yma i gael llonydd i feddwl dw i, yli. Well i ti gadw dy belltar rŵan fod Omo'n 'i ol.'

Gwyddai'r Omo hwnnw i'r dim sut i chwarae'i gardiau'n ddoeth er mwyn argyhoeddi'r golygydd newydd mai Owen Myfyr Owen oedd y gohebydd gorau a welsai'r dref a'r ardal erioed, ac un na allai'r *Valley News* fforddio gwneud hebddo.

Ni chafodd groeso'n Y Bryn fodd bynnag. Roedd gweld ei wep yn ddigon i gythruddo ambell un fel Tom Phillips. A pha ryfedd, gan ei fod o'n credu mai Omo a'i racsyn papur oedd yn gyfrifol am hunanladdiad ei gefnder, Wil Cig. Roedd Jo'n digwydd bod y tu allan i'r Hafod pan roddodd Tom Phillips hemiad i Omo nes ei fod yn gwegian wysg ei gefn am y drws. Nid y bygythiad, *'Cadw di dy belltar, y mwrdrwr cythral!'* aeth â bryd Jo ond geiriau olaf Omo wrth iddo oedi yno ar y palmant a gwynt yr hydref yn gwanu drwyddo, *'Adra ydi'r lle gora i titha, Tom Phillips. Mi fydd yr hen Bess wedi cadw'r gwely'n gynnas i ti.'*

Pam hynny, tybed? Dyna o'n innau'n ei ofyn i mi fy hun. Ac felly, o un pam i'r llall, y datblygodd y nofel. Ro'n i wedi paratoi cynllun eitha manwl ymlaen llaw, fel bob tro arall. Heb hwnnw, gall y cyfan fynd ar chwâl. Ond un penderfynol oedd yr Omo 'ma, yn mynnu ei ffordd ei hun. Taflu Jo ar y doman sgrap wnaeth o unwaith yr oedd hwnnw wedi ateb ei bwrpas. Gwneud defnydd o Jo fyddai pawb o ran hynny, meddwl ei fod rêl lembo, hurt bost, ddim llawn llathan, a'i drin fel lwmp o faw. Ond mae gan y diafol hyd yn oed angan gweision, er nad ydi yntau'n eu cadw'n hir. Rŵan fod Omo'n ôl yn y tresi, roedd ganddo fwy na digon o waith i gadw Jo'n brysur:

Doedd y Jo 'ma ddim mor ddiniwad â'i olwg chwaith, o nag oedd. A byddai'r un mor barod â'r Siôn Blewyn Coch i roi tro yng nghorn gwddw unrhyw iâr neu geiliog, petai'r crebwyll ganddo. Gallai fanteisio ar hynny. Bwydo'r casineb a'r gwenwyn, nes bod yr ysfa i ddial yn tyfu ac yn lledu. Yn wahanol iddo fo, oedd wedi defnyddio'i allu a'i wybodaeth i reibio sawl cwt ieir, a hynny yng ngolau dydd, ni fyddai neb yn drwgdybio Jo. Nid oedd gwybod ei fod yno yn faen tramgwydd o fath yn y byd.

Cytuno ag Omo nad oedd Jo mor ddiniwad â'i olwg wnes i. On'd oedd o wedi llwyddo i gael gwared â'i Anti heb help neb? Ro'n i'n eitha hoff ohono, ar adegau. O'n i'n gofyn gormod, tybad, wrth obeithio y byddai'n troi tu min ac yn cael ei ddial ar Omo? Na, dydw i ddim yn credu fy mod i.

Roedd gen i atebion i rai o'r cwestiynau, a dyna geisio plannu hadau o gliwiau bach yma ac acw er mwyn i eraill gael yr un cyfle. Ond rhai cyfrwys oedd trigolion Y Bryn, wedi llwyddo i gelu cyfrinachau a thaflu llwch i lygaid pawb dros y blynyddoedd.

Be oedd gan Bess, chwaer Tom Phillips, y frenhines oedd yn dal i deyrnasu fel yn y dyddiau gynt, yn ei chwpwrdd hi? Cawsai Megan Harries, *Pobol y Cwm*, ei hanrhydeddu â'r OBE am ei gwasanaeth i'r gymdeithas, ond ni welodd neb yn dda gydnabod Miss Elisabeth Phillips, y gyn-athrawes, am roi mor hael o'i hamser a'i gallu. Nid fod hynny'n poeni dim ar Omo. Eisiau gwybod yr oedd o i ble y diflannodd ei hen athrawes ddosbarth am rai misoedd un Pasg chwarter canrif yn ôl. Fe gafodd wybod, a minnau'n ei sgil. A beth am sylw Omo y tu allan i'r Hafod a'r hadau a blannwyd yn meddwl Jo? Y golau'n un llofft, Tom yn gorweddian ar y setî yn Gwynfa a'i ddwy law fawr yn estyn am Miss Phillips wrth iddi wyro drosto. Do, cafodd Omo wybod y cwbwl ond a' i ddim i ddatgelu rhagor, dim ond dweud fod hyd yn oed gweision y diafol yn cael camau gweigion weithiau.

A beth am Edwin Morgan, Creigle, cynghorydd a blaenor, a etifeddodd gyfoeth a phŵer y teulu Morgan, a manteisio'n helaeth ar hynny? Y gŵr priod oedd â chymaint o heyrn yn y tân, yn cynnwys Mrs Harris ei *fancy lady* a'r brifathrawes ddeniadol fyddai'n cymryd ei lle petai'r ci crwydrol yn cael ei ddymuniad. Heb orfod dibynnu ar na lwc na thro siawns, daeth Omo i wybod hynny, hefyd. A'r ymweliad â Creigle yn rhinwedd ei swydd fel gohebydd wedi ateb ei bwrpas, mae'n ei longyfarch ei hun:

Daeth pennill a glywsai, flynyddoedd yn ôl bellach, i'w gof – 'Wnei di fentro i mewn i 'mharlwr, meddai'r corryn wrth y pry'. Y pry, oedd yn ddigon doeth i allu gwrthsefyll gweniaith a bygythiad, fyddai'n ennill y fuddugoliaeth y tro yma, a'r corryn hunanfodlon heb obaith dianc o'i fagl ei hun.

Byddai cwymp Edwin Morgan oddi wrth ras, pan ddigwyddai, yr hoelen olaf yn arch y teulu. Ddigwyddodd hynny, tybad? Mae'n amheus gen i, gan fod Edwin Morgan yn ddigon o hen bry i allu torri'n rhydd o unrhyw we. Ond mae un peth yn siŵr. Ni chafodd Omo'r boddhad o weld y gwymp er mai fo fyddai'n curo'r hoelion yr oedd Jo wedi bod yn eu casglu liw nos wrth geisio dod o hyd i dameidiau o'r gwir.

Yn rhif pedwar Pengelli, lle byddai ei fam ac yntau'n eistedd o boptu'r tân fel Siôn a Siân, ond, yn wahanol i'r ddau yn yr hen bennill byth yn cecru nac yn anghytuno, aeth Omo ati i fwydo'i liniadur bach personol â'r holl wybodaeth fel ei fod yn barod i daro rhagor o ergydion yn ei golofn, 'Briwsion o'r Bryn'. Peth peryglus i'w wneud, efallai, ond nid oedd gan Omo, mwy na neb arall, y gallu i ragweld y dyfodol. Cynnyrch un oedd yn feistr ar ei grefft ac yn gwybod gwerth yr awgrym cynnil oedd colofn y *Valley News*, ac ni fyddai ambell ergyd fach fwriadol yn debygol o dramgwyddo neb ond y sawl a feddai gydwybod euog. Paratoi'r ffordd yr oedd o wrth ganmol Elisabeth Phillips; gwneud angel ohoni cyn mynd ati i glipio'i hadenydd.

Nid felly y gwelai Jo bethau, fodd bynnag:

Rydw i'n dal i gofio Omo'n addo y cawn i gyfla i dalu'n ôl i bobol Y Bryn ond i mi lynu wrth fy Yncl Ŵan. 'Cau di dy geg a gadal y gneud i mi' — dyna ddeudodd o. Ond does 'na ddim colbio wedi bod, er 'mod i wedi gofalu fod ganddo fo stoc o hoelion. Dydw i ddim tamad gwell ar hynny. Y cwbwl mae o wedi'i neud ydi malu cachu'n y 'Briwsion' 'na a neb yn deall be mae o'n drio'i ddeud.

Does 'na ddim wedi digwydd, na neb fymryn yn waeth. Mae o wedi osgoi taro'r hoelan, dro ar ôl tro. Neu ddewis peidio, falla. Chwarae'n saff rhag ofn iddo fo gael y sac a gorfod ei gwadnu hi odd'ma eto.

Nid oedd gan Cath Powell, Teras Glanrafon, fawr o feddwl

o'r golofn chwaith, mwy nag oedd ganddi o Omo, er ei bod hi wedi gadael iddo chwarae efo'i choesau o dan y ddesg pan oeddan nhw'n yr ysgol fach a hynny'n rhad ac am ddim er mwyn rhoi cynhyrf i'r hen Bess. Un hael ei ffafrau oedd Cath, yn gwybod sut i droi'r dŵr i'w melin ei hun heb orfod gwneud dim ond codi ei sgert a gollwng ei nicars. Yno, yn yr ali rhwng y toiledau a'r cwt beics, roedd yna ddigon o dwpsod fyddai'n barod i wario'u ceiniogau prin am sbec neu dwtsh. Gobaith Omo oedd y byddai'r un mor barod i ddatgelu'r clecs diweddaraf â Beryl Beic, mam Jo, y bu'n rhannu'i gwybodaeth a'i gwely bob nos Wener yn y fflat uwchben y siop fetio. Ond ei siomi gafodd o, er bod sylweddoli mai hi fyddai'n gorfod talu i rywun am fynd i'r afael â hi bellach yn gysur dros dro. Datblygodd y siom yn ddicter a'r dicter yn ysfa i ddial pan gefnodd Cath arno wedi iddi addo i Terry, ei chyw melyn, na fyddai'n cyboli efo'r sgerbwd hwnnw 'tasa fo'r dyn ola ar wynab daear'. O, oes, mae gan hyd yn oed ddiafol mewn croen fel Omo ei deimladau.

Ond nid stori Omo a Jo, Edwin Morgan a Cath Powell yn unig mo hon. Os oes prif gymeriad o gwbwl, Y Bryn ydi hwnnw. Dyna welodd Sian Northey yn ei hadolygiad, ac fe adawa i'r dweud iddi hi:

> Nid stori am gymeriad neu ddau ydi 'Pry ar y Wal' ond yn hytrach stori cymuned. Ac wrth gwrs, fel ym mhob pentref bychan, mae bywydau'r cymeriadau i gyd ynghlwm â'i gilydd yn un we ...

Dw i'n hoff iawn o'r clawr, ond datgelu gormod fyddai i mi sôn llawer am arwyddocâd y pry marw, sydd hefyd yn ymddangos rhwng ambell baragraff. Digon yw dweud nad yw bod yn agos at we yn lle saff iawn i bry.

Ac roedd gwaeth i ddod wrth i awdur y 'Briwsion' benderfynu ei bod yn hen bryd i fudreddi'r heddiw yn ogystal â'r doe godi i'r wyneb:

Yn y rhifyn nesaf, bwriadaf ehangu'r gorwelion a rhoi sylw i faterion sy'n denu sylw'r papurau cenedlaethol a'r cyfryngau. Darllenais ym mwletin yr heddlu'n ddiweddar fod troseddau rhywiol, lladrata a thrais yr un mor gyffredin yng nghefn gwlad ag yn y trefi a'r dinasoedd. Siom fawr i mi oedd darganfod yn ystod yr wythnosau diwethaf fod fy hen ardal annwyl hithau'n dioddef o'r un math o glefydau.

Drwy gyfrwng ymweliad dirybudd, galwad ffôn, a help Gwynfor Parry postman, hen gydnabod ysgol a Jac-codi-baw heb ei ail, mae bylchau'r gliniadur yn llenwi o un i un ac enwau eraill wedi'u hychwanegu at y rhestr. Y rhain ydi'r bobol ddŵad sydd nid yn unig wedi mynnu tresmasu ar y gilfach gefn a'r gymdeithas glòs, gaeedig gyda'i chymysgedd ddirgel o chwant, cenfigen, ofn, casineb, llosgach a malais, ond wedi llwyddo i godi gwrychyn Omo. Ceri Ann, cariad Terry Powell, y gog yn y nyth oedd wedi glanio'n Y Bryn a'i bagad gofalon i'w chanlyn. A'r teulu James – Frank, y penteulu â'r enw cwbwl anaddas, y wraig oedd yn cuddio o dan fwgwd o baent a phowdwr, a'r hogyn boliog, barus y bu'n rhaid iddo ddioddef ei gnoi a'i slochian.

Mae yma sawl cymeriad arall, nad ydyn nhw'n bod bellach, ond sy'n para'n fyw iawn yng nghof a meddyliau'r rhai a adawyd i geisio ymdopi â gwaddol o fendith neu felltith. Ni fydd Mrs Morgan, Creigle, olynydd teilwng i'r hen Fictoria ei hun, byth farw tra bo Edwin ar dir y byw. I Omo, does unman yn debyg i gartref na chwmni tebyg i'r fam fach na all yr un ferch gymryd ei lle, ond ni fydd gan Jo byth ei gartra ei hun tra bod Anti'n gwrthod cilio ac yn dal i dantro a siarad babi efo'r cathod. Mae'r grawnwin surion yn ddincod ar ddannedd Ceri Ann a'r blynyddoedd o fyw efo bwli o dad wedi gadael eu hôl ar Tom Phillips, ond dewis Alwena Morgan, Creigle, ydi dianc o garchar ei chartref a dychwelyd at Tada. Efallai fod peth gwir yng ngherdd boblogaidd Philip Larkin, 'This Be The Verse', ond mae 'na ddwy ochr i bob stori!

Mewn nofel sy'n llawn cyfrinachau, siawns nad oes gen innau hawl i gyfrinach ... neu ddwy ... neu dair.

Codi ar ei hadain wnaeth mam Jo a'i adael ar ddiffyg trugaredd Anti. Ond pwy oedd tad Jo? Ai Omo yn ystod ei ymweliadau wythnosol â Beryl Beic oedd yr un fu'n ddigon lwcus, neu anlwcus, i hitio'r jacpot?

Pwy laddodd Omo? Ydw i'n gwybod? Mae gen i fy amheuon. Ond nid fy mwriad i oedd ysgrifennu nofel ddirgelwch ias a chyffro, ac ro'n i'n awyddus i gadw'r heddlu o hyd braich. Mae Omo wedi mynd, ac yn wahanol i'r adar yn 'Who killed Cock Robin?' does yna neb yn ochneidio nac yn wylo. A'r ysgerbydau'n ôl yn y cypyrddau, dan glo, cânt fwynhau eu cwsg potes maip dros dro. Wyddan nhw ddim, wrth gwrs, am y gliniadur bach a'i gynnwys. Efallai fod gan Omo'r gallu i ragweld y dyfodol wedi'r cyfan.

Pwy ydi'r pry ar y wal? Ai fi, sydd wedi cael gweld a chlywed y cwbwl, diolch i Omo a Jo a sawl un arall? Pry ydi pry i ni, y pry ffenestr nad oes modd cael ei wared, ond yn ôl yr arbenigwyr mae yna filiynau o wahanol fathau o bryfed. Lladd y pry bach oedd wedi bod yn ei phlagio wnaeth mam Trefor yn y stori 'Un, dau, tri', ond aeth y mab gam ymhellach. Ydi bywyd dynol yn fwy gwerthfawr na bywyd pry? Rhyw feddyliau felly roddodd fod i'r gerdd 'The Fly', William Blake:

> Little fly,
> Thy summer's play
> My thoughtless hand
> Has brushed away.
>
> Am not I
> A fly like thee?
> Or art not thou
> A man like me?
>
> For I dance
> And drink and sing,
> Till some blind hand
> Shall brush my wing.
> If thought is life

And strength and breath,
And the want
Of thought is death,

Then am I
A happy fly,
If I live,
Or if I die.

Onid pryfed ydi trigolion Y Bryn, yn cario'r budreddi i'w canlyn fel y byddai Anti halen-y-ddaear yn cario'r clecs adra efo'i siopa? Yr Anti oedd, yn ôl Jo, yn licio gwbod y gwaetha am bawb ac yn glynu'r tameidiau wrth ei gilydd nes bod pob stori'n tyfu fesul dipyn. Ac nid hi ydi'r unig un sy'n barod i dystio â'i thafod i'r hyn na welodd ei llygaid. Mae 'na sawl ffordd o daenu'r gwenwyn, o heintio a bygwth. Erbyn meddwl, efallai mai Pryfed ar y Wal, neu hyd yn oed Pryfed ar Waliau, ddylai'r teitl fod.

43

Dirywio wnaeth ein gardd ni fesul tipyn a'r chwyn enillodd y frwydr, er ein bod yn dal i dyfu blodau o hadau a'u plannu mewn casgenni a basgedi crog. Diflannodd yr anifeiliaid o un i un, a gadael gwacter. Ond daeth Mali, y Labrador melyn, i fyw aton ni a llwyddo i lenwi'r bwlch yn ei ffordd ddihafal ei hun. Bu gorfod mynd â hi at y milfeddyg, a'i gadael yno, yn un o'r pethau caletaf imi orfod ei wneud erioed. A'r diwrnod y dois i â Dori, yr ast fach newydd, adra, cofio'r ffarwelio hwnnw a'r tristwch yn y llygaid mawr, clwyfus wnaeth imi fod eisiau ymddiheuro i Mali a'i sicrhau na wnawn i byth ei hanghofio hi. Roedd gan Dori bwll diwaelod o stumog, a byddai'n rhaid i ni ddogni'i bwyd, ond petai hi yma efo fi rŵan fyddwn i ddim yn gwarafun yr un tamaid iddi. I Llew a minnau, Mali a Dori oedd y ddwy ast fwyaf deallus yn y byd, yn rhoi, o'u bodd, y cariad diamod nad oes gan y rhan fwyaf o'r ddynol ryw amgyffred ohono, ac yn ffrindiau na fu eu ffyddlonach erioed.

Oherwydd y ddisgyblaeth a fyddai'n fy ngorfodi i edrych ar yr haul drwy wydr, ro'n i wedi rhyw lun o feithrin y ddawn i anwybyddu'r pethau annymunol na allwn ymdopi â nhw. Roedd rhai geiriau'n ddigon i godi ofn arna i a byddwn yn eu hosgoi fel y pla. Un o'r rheini oedd y gair 'heneiddio'. Ond byddai ambell gydnabod, cyfoed â fi, yn mynnu f'atgoffa efo'u 'dydan ni'n mynd ddim iau' a 'be arall sydd i'w ddisgwyl yn ein hoed ni?' Do'n i ddim yn barod – ymhell o fod yn barod – i droi fy wyneb at y pared.

Byddai Phyllis Playter, cydymaith John Cowper Powys, yn dweud ei bod, wrth heneiddio, yn teimlo fel petai'n sefyll ar faes brwydr a chyrff o'i chwmpas ym mhobman. Pan fydden nhw'n chwarae cowbois ac Indiaid yng Nghwmbowydd, y cyfan oedd ar hogia'r Blaena ei angen i ddod â'r marw'n fyw oedd joch o ffisig gwyrthiol o chwistrell anweladwy. Dibynnu ar hwnnw y byddwn i er mwyn cael gweld unwaith eto'r wên oedd yn tystio fod Anti Lisi a'i Duw'n deall ei gilydd i'r dim, y rhyddhad ar wyneb Yncl John wrth iddo fwytho petalau melfed y rhosyn mynydd, a'r fflach o'r hen aflonyddwch yn llygaid Anti Nel. A chlywed eto leisiau a chwerthin rhai oedd â gallu'r haul i roi hwb i'r galon. Nel Gwenallt ffraeth, ifanc ei hysbryd, y gin a'r mwg yn gwahodd fel erioed. Eic Davies, y bathwr termau rygbi a'r giamstar ar gemau geiriau, yr enaid rhydd fyddai'n newid aelwyd yn amlach na sipsi fach Crwys, yn molchi yn nant y mynydd ac yn byw yn ôl ei reddf. Clywed hefyd, o bryd i'w gilydd, leisiau ffrindiau eraill yn cysuro ac yn annog. I'r ystafell na chenfydd y byd gyda'r eiliadau o'r melys a'r chwerw, llawenydd a siom, sicrwydd ac amheuaeth y mae'r rheini'n perthyn. A' i ddim i ymddiheuro am hynny. Ro'n i eu hangen nhw. Ac rydw i'n dal i fod eu hangen.

Mi wnes i fy ngorau i geisio dygymod, ond roedd heneiddio'n raslon a gweddaidd yn gofyn gormod. Er bod ein byd ni'n llai a'n libart yn fwy cyfyng, roedd y tân hwnnw gafodd ei gynnau'r diwrnod-pell-yn-ôl yn Swyddfa'r Cyngor yn para i fflamio ar adegau a ninnau cyn hapused ag oedd modd inni fod.

O fis Mehefin ymlaen, byddwn yn dechrau aflonyddu a hen ysfa'r rhywle arall yn ystwyrian. Cyn pen dim, byddai'r garafán a fu'n segur ers misoedd yn barod i fynd â ni i bob cwr o Gymru, Lloegr, yr Iwerddon a'r Alban. Er nad oedd fawr o wahaniaeth rhwng un maes carafannau a'r llall, roedd i bob ardal ei mannau cudd a'i rhyfeddodau. Yr Eisteddfod Genedlaethol oedd cyrchfan Awst, waeth beth fyddai'r tywydd. Byw'r drws nesa i'n ffrindiau, Grace a Dennis, am wythnos a threulio'r nosweithiau'n yr adlen yn chwarae gemau geiriau, fi'n mygu a'r pedwar ohonom yn sipian neu'n slotian yn ôl ei ffansi hyd oriau'r bora.

Ar ysgwyddau Den, fel ysgrifennydd Cyfeillion Llên, y syrthiai'r baich o drefnu'r cyfarfod blynyddol yn Aberystwyth. Harri, y cyn-reolwr banc, oedd yn gofalu am y cyllid a minnau'n rhyw fath o lywydd. Rydw i'n dal i weld colli'r oriau difyr o fod yng nghwmni rhai o'r un anian, y siarad siop a'r trafod brwd.

Ond ildio fu'n rhaid imi, yn dilyn triniaeth clun newydd. Fûm i fawr o dro'n cael gwared â'r baglau a'u cyfnewid am ffon. Efallai fod nain y gân yn meddwl y byd o'r ffon a'i cariodd drwy'i hoes ond achosodd gorfod dibynnu ar f'un i lawer mwy o boen meddwl imi nag unrhyw wayw corfforol. Arweiniodd hynny at golli hunan-barch a hunanhyder ac ni allwn honni bellach, 'mi wn pwy ydw i'.

Bu'r teithiau mynd-a-dod yn y car i Borthmadog a

Phwllheli, Bae Colwyn a Llandudno'n help, dros dro. Dydi cerdded siopau erioed wedi apelio ata i a byddai oedi i sgwrsio â chydnabod, â'm pwys ar y troli, yn hunllef. Ond roedd peiriannau'r Arcêd yn Llandudno yn dal i ddenu ac yn fodd i ymlacio am awr neu ddwy. Yno yr o'n i pan glywais i'r Saesnes honno'n cyhoeddi ar ucha'i llais ei bod yn dathlu'i phen blwydd yn saith deg. Mae'n debyg y dylwn fod wedi ei llongyfarch ond fedrwn i'n fy myw dderbyn fod goroesi oed yr addewid yn achos dathlu. Pob dechrau Awst, byddwn yn rhoi gwybod i aelodau'r teulu fod fy mhen-blwydd wedi'i ganslo, ond doedd neb yn fy nghymryd o ddifri. A bod yn onest, roedd hynny'n rhyddhad ar y diwrnod. O gofio tynfa barhaus y rhywbeth a'r rhywle arall, gallwn o leiaf esgusodi f'anwadalwch drwy ddyfynnu llinellau'r bardd oedd wastad yn siarad ar fy rhan:

> ... Nid wy'n byw
> Un amser nac yn unlle'n gyfan oll:
> Mae darn o hyd ar grwydyr neu ar goll.

Yn raddol, daeth y gorchwyl o fachu a dadfachu a halio'n cartref ar olwynion yn ormod o dreth a'r ymweliad â'r Steddfod bob Awst i ben. Bu'n rhaid rhoi Dori i gysgu a hynny heb imi gael cyfle i ffarwelio'n iawn nac ymddiheuro am fethu'i harbed hi. Mewn croesair a Sudoku yr oedd yr her bellach. Ymdrech ar y cyd oedd y croeseiriau ond byddai Llew yn ymgodymu â'r Samurai Sudoku hyd at y mwyaf dieflig ohonyn nhw. Gan nad oedd fy mherthynas i â rhifau wedi gwella dim dros y blynyddoedd, glynu at y rhai symlaf y byddwn i gan golli amynedd yn aml a chael cip slei bach yng nghefn y llyfr i ddod o hyd i'r ateb. Ac roedd ganddon ni'n llyfrau, y carpedi hud oedd yn ein cario i'r fan a fynnem. Wedi'r teithio, cyfnewid syniadau ac anghytuno weithiau, ond cytuno bob amser fod cartref heb lyfr fel corff heb enaid, er nad oedd ein dehongliad ni o 'enaid' yr un.

Rhyw duthio ymlaen felly wnes i, yr un mor benderfynol ystyfnig ag arfer, heb wybod, na bod eisiau gwybod chwaith, fod gan y byd go iawn ei gynlluniau ar ein cyfer ni. Efallai y dylwn fod wedi fy ngorfodi fy hun i sylweddoli na allai pethau aros fel roeddan nhw ond hogan Dad o'n i, yn gwrthod derbyn y drws clo ac yn mynnu dal wrth y da o hyd.

Yn Llenfa yr o'n i, ar dro'r saithdegau, wedi mynd i gadw cwmni i Mam tra bod Dad yn yr ysbyty, a Llew yn gwarchod y ddau fach ym Mryn Tawel. Ond rydw i'n dal i glywed hyd heddiw gri 'Na' torcalonnus Mam pan alwodd fy nghefnder draw i ddweud fod Dad wedi mynd. A phan chwalwyd nyth bach Llew a minnau, mi fyddwn wedi rhoi'r byd am ollyngdod y crio allan. Ond yn hytrach na cheisio rhyw fath o gysur mewn dagrau neu yn y *'rage, rage against the dying of the light'*, cilio i'r oerni a'r tywyllwch wnes i ac aros yno lle nad oedd na heddiw na fory'n bod a'r doe'n ddim ond adlewyrchiad o'r misoedd ofer rheini o geisio brwydro'n erbyn yr hen elyn. Be oedd ar fy mhen i'n meddwl y gallwn i gael y gorau ar hwnnw? Roedd o nid yn unig wedi dwyn fy ffrind gorau oddi arna i ond wedi dinistrio'r gallu i ddianc i fyd y dychymyg a 'ngadael i geisio ymdopi â gelyn arall –

hunandosturi – yr emosiwn negyddol mwyaf dinistriol, y clefyd sy'n erydu'r meddwl a'r synhwyrau. Dim ond rŵan, wrth gofio ymdrechion y plant a'u plant hwythau i 'nghael i falio, yr ydw i'n sylweddoli pa mor bathetig a hunanol o'n i. Efallai imi deimlo peth euogrwydd wrth i'r düwch fygwth fy mygu, a chofio'r geiriau y bûm i'n gorchestu ynddyn nhw unwaith. Wn i ddim, ond mi wn imi, un diwrnod, weld pen pìn o olau'n y pellter a gwybod fod yn rhaid imi gyrraedd ato, rywsut rywfodd, a hynny ar fy liwt fy hun heb na ffon nac ysgwydd i bwyso arni.

Ond dyna ddigon o ddüwch a gwae. Mae'n bryd imi ddod â'r hunangofiant y tyngais na fyddwn i byth yn ei sgwennu i ben, ond nid cyn gyrru'r cymylau ar ffo a rhoi ei ryddid i'r haul. Rydw i wedi gwneud sawl penderfyniad yn ystod y blynyddoedd ac wedi gresynu oherwydd ambell un. Ond roedd y penderfyniad wnes i i adael y cartref oedd wedi golygu cymaint imi, a symud i ardal newydd, yr un iawn, a'r unig un posibl.

Er bod fy meddwl i yr un mor aflonydd a'r rhywbeth arall yn gwahodd fel erioed, dim ond picio y bydda i i'r rhywle arall o dro i dro i wneud yn siŵr fod pethau'n dal fel roeddan nhw. Nid stori dylwyth teg mo hon efo'i byw'n hapus byth wedyn ond cyffes bersonol un o blant yr haul sy'n credu fod hapusrwydd yn deillio o'r blas ar fyw.

Mae'r teulu wedi cynyddu dros y blynyddoedd i gynnwys Deborah o Gerrigydrudion a Namthip o Thailand, y criw ifanc Jen, Mark, Beth a Jamie, a'r gorwyrion, Pyrsi Llywelyn, pedair oed, a Maisie a gyrhaeddodd yn Chwefror cyn i'r haint wneud mwy o lanast fyth o'r hen fyd helyntus 'ma yr ydan ni'n rhan ohono.

Erbyn hyn, dydi bod fy hun ddim yn gyfystyr â bod yn unig gan fod y darnau grisial o atgofion yn ddiogel o fewn cyrraedd, i'w cyffwrdd a'u hanwylo. Mae gen i fy ngharpedi hud o lyfrau, o bob math, wedi'u llunio, fel y siamplar hwnnw, ag edeuon o holl liwiau'r cread; ac yn bwysicach fyth y ffrindiau oes o eiriau y bu ond y dim imi eu colli am byth oherwydd imi fethu dal gafael ynddyn nhw.

Gallaf eto, fel Cynan, deimlo gwefr y gusan dyner *'fel eira ar y coed'* a gweld Siwan yn mentro taflu baich brenhines o'r neilltu am un noson i gynnig i'r llanc tragwyddol ei funudau o orfoledd. Caf oedi efo Dafydd Iwan yn Esgair Llyn lle mae Cymru'n fyw o hyd ac ym Meifod efo Plethyn, lle mae seidir ddoe yn dal i droi'n siampên. Caf rannu hiraeth David Essex am y stori aeaf na allai fod wedi para a gobaith David Lloyd fod ei Elen fwyn yn cofio hyfrydwch y nos olau leuad honno.

Er na chafodd yr hogan fach o'r Blaena wireddu'i dymuniad o gael aros fel yr oedd hi, a diolch am hynny, rydw i mor falch i Bernard Shaw ddweud, *'We don't stop playing because we grow old; we grow old because we stop playing.'* A derbyn fod hynny'n wir, mi ges i fy arbed rhag heneiddio gan fod *'gwanwyn a gwenau a gwibiog hynt yn gwahodd fel y gwahoddent gynt'.* Hunan-dwyll neu beidio, mae gallu fy mherswadio fy hun i gredu, fel Parry-Williams, fod yr hanner hen *'yn myned yn iau ac yn iau bob dydd'* yn sbardun ac yn gysur. A'r cyfan alla i ei wneud tra bod y meddwl fel clai, y dychymyg yn fyw, y synhwyrau'n finiog a'r llwybrau bach dirgelaidd i'r galon yn agored i gyd, ydi ceisio dal yn dynnach fyth yn y blas ar fyw a'r eiliadau nad ydyn nhw i'w cael ar wyneb cloc.

CYFROLAU EIGRA

- *Brynhyfryd* (Nofel) 1959

- *Y Lle i mi* (Drama) 1965

- *Tŷ ar y Graig* (Stori fer hir) 1966

- *Y Drych Creulon* (Storïau byrion) 1966

- *Cudynnau* (Storïau byrion) 1970

- *Digon i'r Diwrnod* (Nofel) 1974

- *Siwgwr a Sbeis* (Merched hynod Cymru) 1975

- *Byd o Amser* (Drama) 1976

- *Fe daw eto* (Storïau byrion) 1976

- *Mis o Fehefin* (Nofel) 1980

- *Plentyn yr Haul* (Stori bywyd Katherine Mansfield) 1981

- *Merch yr Oriau Mawr* (Stori bywyd Dilys Cadwaladr) 1981

- *Rhagor o lestri te* (Darlith) 1983

- *Ha Bach* (Nofel) 1985

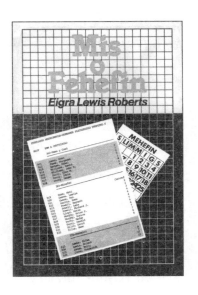

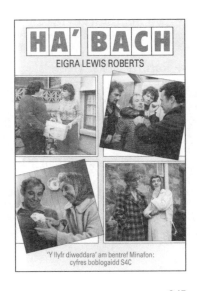

'Y llyfr diweddara' am bentref Minafon: cyfres boblogaidd S4C

- *Seren Wib* (Sgyrsiau radio) 1986

- *Cymer a fynnot* (Storïau byrion) 1988

- *Llygad am lygad* (Llofruddiaethau yng Ngogledd Cymru) 1990

- *Kate Roberts* (Llên y Llenor) 1994

- *Dant am Ddant* (Troseddau yng Ngogledd Cymru) 1996

- *Dyddiadur Anne Frank* (Addasiad) 1996

- *Blits* (Addasiad yn y gyfres Scholastic) 2002

- *Mordaith ar y Titanic* (Addasiad yn y gyfres Scholastic) 2002

- *Rhannu'r Tŷ* (Nofel) 2003

- *Streic* (Dyddiadur yn y gyfres Scholastic) 2004

- *Cês Hana* (Addasiad) 2005

- *Oni Bai* (Storïau byrion) 2005

- *Return Ticket* (Nofel) 2006

- *Carreg wrth Garreg* (Nofel) 2006

- *Dyma fy mywyd* (Darlith) 2008

- *Stori Edith* (Addasiad) 2008

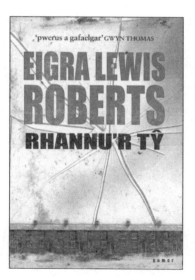

- *Hi a Fi* (Nofel) 2009

- *Paid â Deud* (Storïau byrion) 2011

- *Parlwr Bach* (Cyfrol o farddoniaeth) 2012

- *Fel yr Haul* (Nofel) 2014

- *Pry ar y Wal* (Nofel) 2017

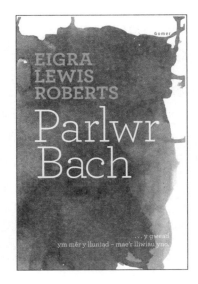